D0986077

BATTEMENTS DE CŒUR

DU MÊME AUTEUR

Aux Éditions Gallimard

Un coupable, 1985.
Joseph Caillaux, Folio/Histoire, 1985.
L'Absence, 1986.
La Tache, 1988.
Discours de réception à l'Académie française, 1990.

Chez d'autres éditeurs

La République de M. Pompidou, Fayard, 1974.
Les Français au pouvoir, Grasset, 1977.
Éclats (en collaboration avec Jack Lang), Simoën, 1978.
Joseph Caillaux, Hachette, 1980.
L'Affaire, Julliard, 1983.
Sieyès, La clef de la Révolution française, de Fallois, 1988.

JEAN-DENIS BREDIN
de l'Académie française

BATTEMENTS DE CŒUR

Fayard

MADEMOISELLE

Mademoiselle s'occupait de ma sœur et de moi. J'avais huit ans, ma sœur en avait neuf. « C'est la personne qui s'occupe des enfants », disait notre père quand il la présentait. Mademoiselle n'était pas une « domestique ». Elle ne faisait pas la cuisine. Elle ne lavait pas le linge, elle ne repassait pas. Elle pouvait même donner des ordres à la cuisinière, à la femme de chambre, pourvu que cela concernât les enfants. Mademoiselle nous réveillait, elle nous habillait, elle prenait les repas principaux avec nous, à 12 h 30 et à 19 h 15. Elle nous faisait travailler, le matin et l'après-midi, préparer nos devoirs, apprendre nos leçons. Elle nous conduisait au jardin une heure par jour. Le soir elle nous déshabillait. Elle se mettait à genoux, à nos côtés, pour qu'ensemble, tous trois, nous priions un quart d'heure. Puis elle nous couchait. Alors elle allait chercher notre père afin qu'il vînt nous embrasser dans notre lit, s'assurer que nous étions propres et bien portants, prêts à dormir. Le père reparti, Mademoiselle nous donnait à chacun un dernier baiser, elle éteignait les lumières, elle retournait à sa chambre, sa chambre voisine de la nôtre, où nous ne sommes jamais entrés. Ainsi continuait-elle à veiller sur nous, guettant le moindre bruit. Elle se levait, par précaution, deux ou trois fois dans la nuit, pour observer notre sommeil.

Aujourd'hui je ne lui vois plus de visage. Je ne vois qu'une ombre plutôt grande, des cheveux noirs, très raides, ramassés au-dessus de la tête, un sourire toujours le même, des mains tendues en avant, prêtes à prévenir le moindre incident et à remettre en ordre nos vêtements. Mademoiselle n'est présente sur aucune photo de famille. Quand notre père annonçait qu'il allait nous photographier elle nous installait, elle nous coiffait, elle surveillait notre sourire, puis elle s'écartait. Si quelque détail de notre tenue ne convenait pas à notre père, il priait Mademoiselle de le rectifier. Elle se rapprochait, le temps de ramener une mèche en arrière ou d'effacer un mauvais pli, et elle se cachait à nouveau. Parfois notre père la plaçait derrière lui. « Souriez à Mademoiselle », nous commandait-il. Nous souriions.

Je ne sais quel âge avait Mademoiselle quand elle est venue, quand elle est repartie. Entre vingt ans et quarante ans, sans doute. Si loin que remontent mes souvenirs elle est présente. Elle m'habille et me déshabille. Elle me donne mon bain. Elle m'oblige à finir les épinards si je ne les aime pas, à ne pas reprendre de compote si je l'aime. Je ne lui imagine pas d'âge. Mais à mon père non plus. Il me semble que les grandes personnes n'avaient pas d'âge en ce temps-là.

Mademoiselle était toujours vêtue de gris. Je ne peux la parer d'aucune couleur vive. Mais je me souviens que, trois fois par semaine, les circonstances l'obligeaient à s'habiller en noir. Le mardi matin elle me conduisait au Cours Hattemer. Elle assistait au cours, assise parmi les parents. Quand j'étais interrogé, elle se retenait de répondre à ma place, et son cœur battait quand le professeur proclamait le classement. Le soir elle épiait le retour de mon père pour lui annoncer ma place et lui faire rapport. Si j'étais premier, elle le disait fièrement. Si je ne l'étais pas, elle baissait les yeux pour assumer sa part de l'échec. Ce devait être aussi sa faute. Le mercredi matin, c'est ma sœur qu'elle emmenait au cours, mais le classement de ma sœur n'avait aucune importance. Et le jeudi matin Mademoiselle nous accompagnait chez notre mère, en autobus. Elle sonnait à midi exactement, après nous avoir coiffés une dernière fois, et, si nous avions mauvaise mine, frotté les joues afin qu'elles parussent roses. Quand Maman ouvrait elle-même la porte, ce qui était rare, elle remerciait Mademoiselle d'un sourire, mais Mademoiselle n'entrait pas. Si nous étions accueillis par le valet de chambre, il signifiait à Mademoiselle, d'un mouvement du menton, qu'elle avait achevé sa mission et qu'il nous prenait en charge.

Elle revenait sonner à dix-huit heures précisément, nous étions prêts, derrière la porte, notre mère ou le valet de chambre nous poussait doucement sur le trottoir, vers Mademoiselle, celle-ci nous tendait les deux mains, nous en prenions chacun une, c'était fini le temps de notre mère. Mademoiselle ne nous posait aucune question, elle n'avait pas le droit d'en poser. Quand l'un de nous deux pleurnichait, elle séchait ses larmes, elle lui disait gentiment « vous êtes grand maintenant... vous ne devez plus pleurer », elle ajoutait parfois « que va penser votre père s'il vous voit les yeux rouges ? ». Nous savions qu'il était interdit de pleurer.

Mademoiselle était venue d'Alsace. Elle y retournait un mois par an, en juillet, quand notre mère nous prenait en vacances. Notre père partait alors se reposer seul, au bord de l'Océan. Mademoiselle était autorisée à nous adresser, chez Maman, pendant ce mois bizarre, une carte, toujours la même, qui représentait l'église de son petit village, près de Sélestat. Elle nous donnait, par cette carte ouverte, d'utiles conseils, celui de profiter du bon air et de beaucoup lire, elle terminait par ses bons baisers. Elle signait « Mademoiselle ». Jamais elle ne disait rien d'elle, ni de ce qu'elle faisait. D'ailleurs, je n'ai pas souvenir qu'elle eût jamais rien dit qui la concernât.

Je ne me souviens pas non plus qu'elle ait eu la moindre humeur. Ou plutôt elle n'avait d'autres humeurs que celles qui nous étaient profitables. Si je rapportais du cours la première place, elle se montrait toute joyeuse, elle m'embrassait dans la rue, dans l'autobus, elle eût presque chanté. Mais elle était capable de rester des heures sans me parler si j'avais mal travaillé. Quand je faisais une bêtise, elle demeurait longtemps soucieuse. Elle était gaie si d'aventure la maison devenait gaie. Le plus souvent elle restait triste, comme le visage de mon père, comme cela convenait.

D'elle j'ai appris, heure après heure, à me bien tenir. Notre père ne nous surveillait qu'à distance. Hors le déjeuner du dimanche, il ne prenait aucun repas avec nous. Parfois il nous faisait un bref sermon le soir, il nous parlait du travail, du devoir, du courage, mais l'éducation passait par Mademoiselle. « Mademoiselle, voulez-vous lui dire... », « Mademoiselle, empêchez-le... ». Notre père s'enfermait avec elle, chaque jour, une demi-heure, avant le dîner. J'imagine qu'elle rendait compte et qu'il lui donnait ses instructions. Peut-être lui remettait-il des notes écrites. Peut-être la grondait-il. Elle nous a tout appris, le goût des bonnes manières et des devoirs bien faits, elle nous a appris à guetter les caprices des grandes personnes, à ne jamais déranger, à nous effacer devant les portes, à vouloir faire plaisir, elle nous a appris à tenir ce qui est pénible pour meilleur que ce qui est agréable. Et elle nous a appris à nous excuser sans cesse, à nous excuser de tout. Elle-même ne cessait de s'excuser, de demander pardon. Notre père approuvait de la tête. De sa vie il n'avait dérangé personne. Il n'imaginait pas que l'on vécût autrement.

Je n'ai pas le souvenir que Mademoiselle ait jamais été malade, ni qu'elle nous ait montré un quelconque chagrin. Ses plaisirs et ses peines, elle ne les tenait que de nous. « Tenez-vous droit pour me faire plaisir... »,

« Je suis triste que vous soyez mauvais en arithmétique ». Je crois cependant l'avoir vue pleurer une fois. Je ne sais pourquoi mon père s'était mis en colère pendant le déjeuner du dimanche, en colère contre ses deux enfants à la fois, il avait dit « c'est intolérable », et il avait quitté la table. Nous étions restés, Mademoiselle, ma sœur et moi, épouvantés, et j'ai vu qu'elle pleurait, qu'elle avait pris sa serviette pour essuyer ses yeux. J'avançai ma main vers la sienne, mais elle prévint mon geste, « tenez-vous droit », me dit-elle, « et les poings sur la table ». Elle pleurait, mais je ne pouvais rien pour elle.

A l'extérieur, Mademoiselle était « la gouvernante des enfants ». Elle devint « l'institutrice des enfants » quand elle nous fit travailler. Mais, pour notre père, pour les domestiques, pour nous, elle resta toujours « Mademoiselle ». Elle n'avait ni nom ni prénom. Je me souviens qu'un jour, ma sœur, qui parlait trop, lui avait demandé si elle avait un père. Mademoiselle était restée silencieuse, décontenancée. Ma sœur s'était excusée.

Elle nous aimait, bien sûr. C'était son

devoir, son métier. C'était sa vie. Elle était fière de nos succès, tourmentée dès que quelque chose, dans la maison, allait mal, elle était malade si nous avions de la fièvre, elle veillait sur nous jour et nuit, et parfois, le soir, quand elle nous couchait et nous bordait, elle nous parlait un peu comme l'eût fait une mère. Il m'arrivait de pleurer pour qu'elle me prît la tête entre les mains, « un garçon ne doit pas pleurer », me disait-elle avec un bon sourire, elle me pressait contre elle, un temps court, vite elle m'éloignait comme si elle faisait mal. Aujourd'hui je ne peux dire si je l'ai aimée. Je ne me suis jamais posé la question. Mademoiselle occupait toute ma vie, je ne recevais rien qui ne passât par elle, rien si ce n'est le jeudi après-midi, quand j'allais chez maman. Alors j'avais une mère, et Mademoiselle n'existait plus. Là-bas, Mademoiselle avait disparu, là-bas, personne, rien n'eût osé parler d'elle. J'ai peut-être aimé Mademoiselle comme j'avais le droit de l'aimer, à distance, sans trop le savoir, sans le montrer.

Un jour, dans un magasin où Mademoiselle m'avait emmené pour me choisir des chaussures, la vendeuse osa lui dire, voulant l'encourager : « Regardez, Madame, comme elles vont bien à votre fils. » Je criai presque : « Mademoiselle n'est pas ma mère. » Mademoiselle resta muette, comme la vendeuse, elle s'excusa, non, les chaussures ne m'allaient pas, nous reviendrions. Dans la rue, je me jetai dans ses bras, elle me repoussa, « tenez-vous bien. »

Le dimanche matin, notre père nous conduisait tous trois à la messe. Il nous laissait à la porte et il allait se promener. Mademoiselle nous mettait le visage entre les mains, « fermez les yeux » nous disait-elle, « on ne prie bien que dans le noir ». Je faisais semblant de fermer les yeux, je la regardais à travers mes doigts. Elle était agenouillée, la tête dans les mains, elle murmurait à voix basse des tas de prières que je ne connaissais pas, parfois elle soupirait, parfois elle s'inclinait, le front posé sur le prie-Dieu, je me demandais pour qui elle priait, pour son père, pour sa mère, pour l'église de son village, pour moi peut-être. Je me mettais à prier pour elle.

Notre père était de plus en plus silencieux et maussade. Je voyais, au déjeuner du dimanche, seul repas pris ensemble, qu'il avalait des tas de médicaments. Un vendredi matin, Mademoiselle nous annonça qu'il avait été transporté dans la nuit à la clinique, que ce n'était pas grave, mais qu'il y resterait quelques jours. Le soir, elle nous fit prier pour lui. Le lendemain, le frère de notre père, qui participait parfois au déjeuner du dimanche, vint nous voir. Il nous fit conduire au salon, ma sœur et moi. Il était assis, il nous prit chacun sur l'un de ses genoux et il nous dit, nous embrassant à tour de rôle, que notre père était mort à l'aube, que notre père nous avait beaucoup aimés, qu'il n'avait vécu que pour nous, et qu'il nous faudrait bien travailler, toute notre vie, pour suivre son exemple et lui rester fidèle. Mademoiselle était debout, dans le fond de la pièce, immobile. Notre oncle l'interpella, « occupez-vous bien d'eux... ils n'iront pas à l'enterrement ». Elle répondit « oui Monsieur », en s'inclinant. Il se leva, il nous embrassa une fois encore, et nous restâmes seuls, tous les trois, nous plantés au milieu du salon, elle collée au mur. Je n'avais pas tout à fait dix ans.

Le lendemain notre mère vint nous chercher. Son valet de chambre apporta de grosses valises où l'on put entasser les vêtements, les livres, les cahiers et quelques souvenirs. Notre mère nous couvrit de baisers, tandis que Mademoiselle faisait nos bagages. Mademoiselle semblait un automate, elle aida à descendre les valises, Maman nous expliqua : « Elle restera ici pour l'instant... je n'ai pas besoin d'elle... après on verra... » Sur le trottoir, Mademoiselle nous embrassa, nous pleurions, ma sœur et moi, mais elle ne pleurait pas, on ne pleure pas dans la rue. Nous embrassant, elle ne cessait de répéter « nous nous reverrons... nous nous reverrons... ». « Dépêchez-vous », s'impatientait ma mère, « vous allez prendre froid ». Le taxi se mit en marche, lentement. A travers la vitre arrière je regardai Mademoiselle. Elle était restée sur le trottoir. Elle agitait la main.

Je ne l'ai jamais revue. Elle est retournée dans sa campagne. Trois ou quatre fois, elle nous a envoyé des cartes remplies de bons baisers. Pour lui répondre, j'ai cherché les plus belles cartes postales, représentant de célèbres monuments. Je lui ai dit que je voulais aller la voir, que j'aimerais bien qu'elle vienne, et que je l'embrassais. Mademoiselle m'a encore écrit, le jour de mes onze ans, pour me souhaiter un joyeux anniversaire. La France fut envahie. Le temps passa. Je ne sais ce que Mademoiselle est devenue.

UN LÉOPARD

C'est en 1941, je crois, que ma mère prit la décision de me « mettre aux scouts ». Plusieurs de ses amis lui en avaient donné le conseil. En des temps sombres et sans voyages, le scoutisme assurait aux garçons une formation physique et morale. Je prendrais l'air, je découvrirais la nature, je me ferais des amis, un prêtre veillerait sur moi. Je devinais aussi que cela réglerait le problème de mes jeudis après-midi et de mes dimanches, car je restais alors enfermé dans ma chambre, à travailler. Je risquais de m'isoler, de m'anémier. Comment distraire un garçon de douze ans qui n'est bien que dans ses livres ? Ma mère m'embrassa, des dizaines de fois, comme elle faisait quand elle voulait que je dise oui. Je n'avais plus beau rêve que de lui faire plaisir. Je dis oui.

Elle me conduisit, le jeudi suivant à trois heures, dans la cour d'une école près de l'église Saint-Thomas-d'Aquin. Le chef scout nous attendait. Il vint à elle, il me parut étrange avec ses culottes courtes, sa chemise kaki chamarrée d'insignes et de décorations. Autour de nous les garçons jouaient, criaient, roulaient à terre sans nous voir. Le chef baisa longuement la main de ma mère qui en parut heureuse, elle lui sourit, elle me caressa la tête, elle vit bien que j'étais désemparé. « Tu verras », me dit-elle pour me donner des forces, « tu auras un uniforme... tu seras magnifique ». Maman adorait les uniformes.

Le chef me prit par la main. Il me fit traverser la cour, les garçons s'écartèrent pour lui laisser le chemin libre.

« J'ai hésité, me dit-il, à te mettre aux Léopards ou aux Lynx. »

Sa voix s'était faite solennelle, pour marquer l'importance du choix.

« J'ai bien réfléchi, ajouta-t-il, tu seras Léopard. C'est la meilleure patrouille. »

D'un mouvement de la tête, il désigna un

garçon qui cessa aussitôt de jouer et vint se planter devant nous, au garde-à-vous. Je remarquai ses jambes très longues, ses culottes très courtes, sa fière allure.

« Voici Bernard..., ton chef de patrouille.

— Voici le nouveau, dit-il à Bernard, prends-le en charge. »

Bernard me sourit, je souris.

« Suis-moi », m'ordonna-t-il. Je le suivis.

Nous grimpâmes deux étages, Bernard semblait courir au-dessus des marches, je m'appliquais à ne pas trébucher. Quand nous fûmes arrivés dans une petite pièce couverte d'inscriptions, de dessins, de photos, d'images du Christ, meublée seulement de quelques bancs, il se mit en face de moi, il me regarda longuement des pieds à la tête, de la tête aux pieds, et il me dit, m'obligeant à le regarder dans les yeux :

« Je suis Bernard de Récy, ton chef de patrouille. »

Il ajouta :

« J'ai quinze ans, et je ne crains que Dieu. »

Puis, après un silence :

« Et toi, quel âge as-tu ? »

Je commençai à lui expliquer que j'étais

en cinquième au lycée, que j'avais douze ans, que ma mère voulait que je fusse scout parce que j'avais perdu mon père. En vérité, mon père était mort depuis trois ans, mais j'espérais toucher mon chef par cette confidence. Je précisai que je n'avais jamais fait que travailler, que tout ceci était nouveau pour moi, je le priai d'excuser ma gêne, il m'écoutait en me dévisageant, mes vêtement devaient l'étonner, et ma voix, Bernard de Récy vivait les jambes et les bras nus, le col ouvert, les gestes libres, j'ajoutai des tas de sourires pour qu'il excusât mes explications, il m'interrompit :

« Tu veux vraiment être scout ? »

Je lui répondis « oui » d'un ton très assuré, car je ne voulais pas le décevoir.

« Tu l'es maintenant », me dit-il.

Il écarta les jambes, il croisa les bras et il se mit à me parler avec une tranquille autorité. Il parlait naturellement comme un chef. Il m'expliqua les horaires et les activités auxquels je serais soumis, il me décrivit la patrouille, les sept garçons qui la composaient, tous de vrais scouts, généreux, courageux, infatigables. Je deviendrais comme eux. Il m'exposa les principes qui désormais conduiraient mes jours et mes nuits. Il avait compris que le travail scolaire occupait trop de temps dans ma vie, et ceci devait changer.

« Tu dois travailler pour Dieu, pour tes frères, non pour toi. »

Je ne devrais plus travailler pour travailler, je devrais travailler autrement, me dévouer, me dépenser sans récompense, surtout sans récompense, il s'enflammait en parlant, il raidissait ses jambes, à certains moments il se dressait sur la pointe des pieds. Il m'avertit qu'à partir de ce jour je pouvais compter sur lui, entre Léopards c'était à la vie et à la mort, à Bernard de Récy je pourrais demander n'importe quoi, nous étions des frères, et Dieu le savait ! Puis il me parla de l'uniforme, dès jeudi prochain je devrais être en uniforme, la France avait été vaincue et c'était une raison de plus pour que les scouts portent l'uniforme, il me décrivit le mien en détail, il semblait y prendre plaisir.

« Fais attention, me dit-il, les Léopards portent les culottes très courtes... »

Il vit que je regardais ses jambes nues.

« Comme ça, précisa-t-il, oui comme ça... »

Il ajouta fièrement :

« Un vrai scout se reconnaît à ses yeux et à ses jambes. »

Il me fit encore quelques remarques sur un ton fraternel : je me tenais trop voûté, mes cheveux lui semblaient un peu longs, je rougissais facilement, il l'avait observé dès le premier instant, j'étais trop timide, mais cela me passerait, aucun Léopard n'était resté timide, tous ils étaient devenus, en quelques mois, de vrais garçons.

« Que veux-tu faire plus tard ? » me dit-il soudain, et je compris que notre première rencontre prenait fin.

Je n'en avais aucune idée, je répondis ce qui me parut convenable, que je serais sans doute médecin, ou professeur. Il me sourit gentiment, comme à un enfant.

« Ce ne sont que des métiers, rétorqua-t-il. Tu verras, il n'y a pas de choix, ou plutôt il n'y a qu'un seul choix ! »

Il me serra la main.

« Nous serons des héros ou des saints. »

Et il sortit en courant.

Les premières semaines furent moins difficiles que je ne l'avais craint. Bernard prit beaucoup de temps pour m'initier, avec une ferme douceur. Le jeudi après-midi, au local, il ne cessait de m'observer. Le plus souvent qu'il lui était possible, il me gardait près de lui. Il m'enseignait les jeux, la manière de courir, de marcher, de me tenir quand nous restions debout pour prier, pour écouter l'aumônier ou le chef scout. Si je parlais, il corrigeait mes mots, qu'il jugeait trop apprêtés. « Tu parles comme un professeur », me disait-il. Il m'apprenait la langue scoute, sèche, rapide, transparente, il me soumettait à quantité d'épreuves de plus en plus rudes, destinées, m'avait-il expliqué, à m'aguerrir. Tout ceci ne me déplaisait pas. J'y retrouvais une part du travail ordinaire, l'effort, l'application, l'angoisse auxquels j'étais habitué. Ma vraie difficulté tenait à la peur du ridicule, car je devais souvent me traîner par terre, poursuivre une quelconque mission dans la poussière, rentrer chez moi les vêtements déchirés. J'admirais les autres garçons, leur insouciance, ils allaient dans la rue, sales, presque en haillons, parfois couverts de sang, ils s'en moquaient, je crois même qu'ils en étaient fiers, comme des soldats au soir de la bataille.

Les réunions du jeudi n'étaient que des exercices. Nous nous préparions aux grands jeux du dimanche où nous devions affronter d'autres troupes, à moins que la nôtre, faute d'adversaires, se divisât elle-même en deux camps ennemis. Le dimanche, dans l'une des forêts autour de Paris, se déroulait sur un rythme à peu près immuable. Il commençait, dans une clairière, par une messe virile. Tous les scouts, en uniforme, debout, au coude à coude, remerciaient Dieu de leur avoir donné la vie et la force, nous Lui promettions notre courage, et notre amour, l'aumônier disait quelques mots pour nous encourager à l'effort, au sacrifice, il nous parlait de Dieu, de la France, de notre état de jeunes garçons. Il nous rappelait aussi que nous devrions mourir, demain matin ou dans beaucoup d'années, rentrer à la maison du Père, que la mort n'était rien qu'un retour de vacances, nous savions à ce moment que la mort ne nous faisait pas peur, nous l'attendions de pied ferme. Après quoi, l'un après l'autre, les yeux fermés, nous communiions, désormais prêts à mourir ou à vaincre. La messe finie, nous regardions, toujours debout, toujours immobiles, le drapeau français qui montait au sommet d'un arbre. Le chef avait, avant la messe, choisi l'arbre qui en serait digne, il s'était armé de cordes et d'une scie pour couper les branches gênantes, il avait préparé cette glorieuse ascension, oui le drapeau s'élevait, nous le suivions des yeux, nous montions avec lui, nous n'entendions que le chant de nos rêves, et parfois, dans les bois autour, le bruit des lapins ou des taupes qui s'agitaient. La France et Dieu veillaient sur nous, nous sur eux, et pour peu que le soleil se montrât, l'instant était magnifique, nous sentions que rien, jamais, ne pourrait nous arrêter.

Commençaient les marches, les haltes, les poursuites, ces heures passées sous un arbre mort, le ventre dans les feuilles, à écouter le silence, à guetter l'ennemi, et soudain ces assauts furieux, les cris de guerre, les mêlées, les corps à corps dans les ronces, dans les pierres, les affrontements à n'en pas finir, et puis le cri du chef, c'était fini, tous debout, tous en rang, suant et souvent sanglants, appliqués à retrouver leur souffle, à remettre en place ce qu'il restait des uniformes, tous avides de se secourir, de se soigner. Et voici la dernière prière, la prière de Tes fils meurtris, jamais ils n'ont été si frères, jamais ils ne furent tant Tes fils, l'aumônier regarde tous ces combattants figés, serrés comme des arbres, marqués, sur leur corps, dans leur âme, de la ferveur et du courage échangés, ils se mettent à genoux, ils courbent la tête, encore une bénédiction rapide car le train de Paris n'attendra pas, c'est sûr qu'ils deviendront des héros et des saints, ces garçons au regard clair, aux jambes déchirées, il leur faut marcher vite jusqu'à la gare, une dernière marche dans le silence d'après la guerre, ils sont épuisés, joyeux, mais ils pensent à demain, c'est fini le dimanche. L'aumônier va derrière, il prie pour tous, il est satisfait des enfants de Dieu.

Bernard me semblait, à tous les moments, le meilleur. Il se battait comme aucun, il priait comme aucun, il ne cessait de veiller sur les Léopards, soignant les blessés, encourageant ceux qui faiblissaient, il nous exaltait par son exemple et son regard. Parfois, avant les grandes batailles, il rassemblait les huit Léopards autour de lui, il nous serrait, passant ses grands bras sur nos épaules, et il nous parlait doucement, il nous disait que nous étions dignes de Dieu, et qu'il était fier de nous. Il nous faisait quelques reproches, s'appliquant à ne jamais nous blesser, le chemin de l'héroïsme n'était pas facile, le Christ lui-même avait eu un moment de faiblesse, puis il nous regardait à tour de rôle, sans un mot, d'un même regard, il nous appréciait, il nous aimait.

Qu'il s'occupât de moi avec un soin particulier me semblait naturel. J'étais le dernier venu, mon uniforme était trop impeccable, j'étais visiblement contrarié si ma chemise était sale, je me recoiffais à la première occasion, ma voix et mes mots trahissaient une éducation que je savais un peu démodée. Les autres garçons n'y prêtaient pas attention. Ils me traitaient comme l'un des leurs, et si je leur déplaisais ils me le laissaient voir. Bernard, au contraire, observait chacune de mes étrangetés. Il s'appliquait à les corriger. Il me faisait des suggestions sur mes chemises qu'il trouvait trop soigneusement repassées, sur mes culottes qu'il ne trouvait pas assez courtes, il regrettait le pli soigneux que la femme de chambre de ma mère s'appliquait à y porter pour qu'elles ressemblent un peu à des pantalons. « Les culottes d'un scout, me disait-il, sont faites pour le combat, non pour aller au bal. » Il m'enseigna à manger et à boire autrement : « Tu as toujours l'air de dîner en ville. » Il me promit que, durant le camp d'été, il m'apprendrait à me battre. « Tu te bats comme une fille, m'expliqua-t-il, tu cognes pour cogner. » Pour qu'il me pardonnât mes insuffisances, je lui racontais ma vie, je lui parlais de ma mère. Je n'en avais parlé à personne avant lui. Il me laissa entendre qu'il ne souhaitait pas de confidences, qu'il ne me dirait rien de lui, qu'il ne me demanderait jamais rien. Simplement il avait vu, dès notre première rencontre, que nous étions faits pour être frères, et que nous le serions chaque jour davantage.

Le jeudi qui précéda le camp d'été, il parut s'inquiéter.

« Tu ne te dégonfles pas ? Tu viens au camp ? »

Je hochai la tête, oui je viendrais, ma mère avait hésité, trois semaines en Auvergne, en zone libre, trois semaines sans nouvelles de moi, puis elle s'était résignée, trois semaines d'air pur et d'exercices, ce camp d'été me ferait tant de bien ! Bernard me mit la main sur l'épaule : « Si tu n'étais pas venu », me dit-il... Il n'acheva pas sa phrase, il me repoussa, il fit semblant de rire.

« Dans le fond, je m'en fous »,

et il déguerpit.

Dans le train, il me fit asseoir à côté de lui. Sous la tente, il ordonna que je dorme à la place voisine de la sienne. Il expliqua que le dernier de la patrouille devait être à côté du premier, que c'était la règle. « Surtout c'est ton chouchou », observa le troisième de patrouille, un grand costaud qui ne cessait de chercher la bagarre. Ils se jetèrent l'un sur l'autre et roulèrent dans l'herbe. Tous les Léopards se mirent à genoux pour profiter du spectacle. Il ne me déplut pas que Bernard se battît pour moi. Il ne mit pas dix minutes à étrangler son adversaire. Quand il se releva, fier et déchiré, il nous regarda tour à tour. Je lui souris de mon mieux, pour le remercier, mais il se détourna.

Chaque jour ressemblait à un dimanche. Pourtant j'avais hâte que ce camp s'achève. J'étais inquiet de ne recevoir aucune lettre de ma mère, et fatigué parce que la nuit, sous la tente, je ne fermais pas l'œil. J'écoutais le souffle tranquille, régulier, de Bernard, il trouvait le sommeil dès qu'il s'enfonçait dans son sac de couchage, moi j'avais froid, je surprenais de tous côtés des bruits étranges, je regardais ma mère dormir, ne pas dormir, elle se levait, elle allait boire un verre d'eau, elle ne cessait de s'agiter, elle avait l'air soucieuse. Parfois Bernard se mettait à parler, il chantait presque, j'essayais pour passer le temps de deviner ses rêves, je ne m'endormais qu'à l'aube, sans doute me rassurait-elle, mais c'était le moment du réveil et Bernard me sortait du sac de couchage, il me tirait par la main, aussitôt la prière, et la tête dans le ruisseau, il me frappait brusquement au ventre pour me distraire, il me prenait par le bras, « tu es un enfant gâté », me disait-il avec un doux sourire.

Chaque soir, après la dernière prière faite ensemble, les scouts se séparaient. Chaque patrouille retournait à sa tente. Nous marchions lentement, car l'aumônier nous avait parlé de la nuit et de la mort, des étoiles et de l'éternité, il nous avait finalement confiés à Dieu, et cela nous avait rendus graves. Bernard venait souvent vers moi. Il me prenait par la main, il m'entraînait un moment dans la forêt, nous nous asseyions côte à côte, sur un tronc mort, presque blottis, et il parlait, il n'attendait aucune réponse, et j'en étais heureux, je ne faisais que l'entendre. Il disait qu'il croyait en Dieu la nuit, toutes les nuits, que Dieu ne le quittait jamais sous les étoiles, mais que, parfois, le jour, il hésitait, il hésitait quand il voyait un animal malade, mourant, moins qu'un animal, une fourmi à demi écrasée, une mouche agonisante, il était sûr qu'elle avait mal, et Dieu ne lui promettait aucune récompense, aucun paradis, cela il ne pouvait pas le comprendre, et Dieu, à ce moment, s'en allait de sa vie. Alors il pensait à la France, la France, elle, ne le quittait jamais. Elle était si belle, si malheureuse. Il était sûr que le maréchal Pétain était venu sur terre pour sauver la France, il la sauverait, ce n'était pas vrai que le Maréchal fût satisfait que les Allemands occupent la France, lui, Bernard de Récy, il ne se reposerait pas tant qu'il y aurait encore un Allemand en France, et il savait de source sûre que le maréchal Pétain dirigeait secrètement la lutte contre les Boches. Un jour, le Maréchal quitterait Vichy, il s'installerait dans un maquis, peut-être ici en Auvergne, il appellerait au soulèvement de tous, et tous les scouts viendraient se battre à ses côtés. Ce soir, c'était trop tôt, mais nous vivrions ce jour, lui et moi, tous les deux ensemble, nous lutterions à mort pour sauver la France, l'un à côté de l'autre, scellés comme des frères. Il parlait à n'en pas finir, à certains moments il élevait la voix, comme s'il voulait parler à Dieu ou à la France, il passait son bras autour de mon épaule ou de mon torse, « Nous serons des héros, tu comprends. »

Brusquement il se levait, il se campait en face de moi, les jambes écartées, il posait ses mains sur ma tête. « Jure-moi que nous serons des héros. Jure-le-moi. » Je prêtais serment, je le ramenais lentement vers la tente.

Grâce à lui, les Léopards furent vainqueurs dans presque tous les jeux. Le dernier jour du camp, le chef de troupe et l'aumônier louèrent notre patrouille, qui méritait d'être offerte en modèle. Nous étions tous debout, formant le carré, dans la clairière, c'était le soir, un tendre soleil se glissait entre les arbres pour venir jusqu'à nous. Le chef appela « Bernard de Récy ». Bernard s'avança, il se figea, au garde-à-vous, devant le chef, la tête haute. Je vis qu'il avait replié ses culottes courtes afin que ses jambes fussent plus nues encore, ses jambes triomphantes. « Nous sommes fiers de toi », lui dit le chef, l'aumônier approuva ces mots d'un large sourire, Bernard salua, il revint vers nous. Nous étions fiers de lui. Il m'embrassa.

Ce dernier soir, après la dernière prière,

il me dit qu'il tenait à me parler avant que nous ne nous quittions, que c'était important pour lui, pour nous deux. Nous marchâmes un long temps dans les bois, il me précédait, ouvrant le chemin, écartant les branches. Si le camp s'était si bien passé pour les Léopards, ce n'était pas seulement parce qu'il avait fait son devoir, lui, le chef de patrouille, il y avait une autre raison, il répéta plusieurs fois « une autre raison ». Nous étions parvenus à une petite clairière, parmi les chênes, la nuit était remplie d'étoiles que je feignais de regarder. « C'est à cause de toi », me dit-il.

Il se mit à parler très vite, me pressant la main pour m'empêcher de l'interrompre. Dès le premier jour il avait compris que je n'étais pas comme les autres, dès le premier jour il avait compris que nous étions faits l'un pour l'autre. Jamais il n'avait imaginé une telle fraternité. Quand j'étais près de lui, tout lui semblait facile, il devenait aussitôt le meilleur, il ne cherchait pas à élucider cela, c'était le mystère de la fraternité, ma présence multipliait sa joie, sa force, il avait pu faire n'importe quoi, depuis le début du camp, parce que je ne l'avais pas quitté, il s'était senti un saint, mieux qu'un saint, un héros ! Demain ce serait fini, il voulait s'en être ouvert à moi, ce soir, avant que ce fût fini.

« Et toi ? » me dit-il.

Je ne savais que lui répondre, je n'osai un geste, je voulais que nous rentrions.

« Et toi, reprit-il, toi ! Il y a tant à t'apprendre ! ».

Il s'était rapproché de moi, si près que je sentais son souffle.

« Toi, tu ne prends aucun risque. »

Je ne comprenais pas qu'il cherchât à me blesser, soudain, sans raison.

« Je vais te parler de toi. »

Il me parlait maintenant très bas, comme s'il souhaitait ne pas être assuré que je l'entendisse. Il avait décidé de me dire ce que personne n'osait me dire, parce que personne ne m'aimait assez pour cela. Il avait décidé de me mettre dans son secret, notre secret. Comme moi, il était élevé par sa mère. Son père, officier, était parti un beau jour pour dîner avec un ami, il n'avait jamais plus donné de nouvelles, peut-être était-il mort, en tout cas disparu, mais sa mère l'élevait, lui, Bernard de Récy, exactement comme l'eût élevé son père, pour qu'il ressemblât à son père. Tandis que moi, j'étais élevé comme une femme. « Je te dirai toute la vérité, me dit-il, écoute-moi, je t'en prie, c'est notre dernier soir. » Il me serrait très fort le bras pour être sûr que je ne puisse m'échapper. Ma mère était certainement formidable, mais elle faisait de moi une femme, une femme timide, fragile, une femme gâtée. Personne ne me le disait, la chance était que nous nous étions rencontrés, nous devions nous dire la vérité, comme il se fait entre garçons, entre frères, dès le premier jour il avait compris qu'il avait une mission à remplir, qu'il ferait de moi un garçon. Et je commençais à me tenir comme un garçon.

« Regarde tes jambes, tu commences à avoir des jambes de garçon. »

Brusquement il me lâcha le bras, il vint se placer face à moi.

« Nous allons nous affronter, me dit-il, car je dois t'initier. Ce soir, je dois faire de toi un garçon. »

Il me mit les mains sur les épaules.

« Écoute-moi, tu dois savoir ce qu'est un vrai combat. »

Il parlait de plus en plus vite, un vrai combat n'avait rien à voir avec ces empoignades de gamins auxquelles nous étions habitués, le vrai combat seuls quelques garçons y accédaient, ceux qui en étaient dignes, et j'en étais devenu digne grâce à lui. Sa voix était haletante. Je savais que Bernard cherchait toutes les occasions de se battre, et il le voulait, là, à ce moment étrange, dans la nuit, j'étais flatté qu'il m'eût choisi pour cet affrontement du dernier jour, je le savais plus grand que moi, plus fort, plus habile, mais aucun témoin ne verrait ma défaite et je voulais en finir.

« Je suis d'accord », lui dis-je.

Alors il m'expliqua qu'un vrai combat était un corps à corps si fabuleux que je ne pouvais pas même l'imaginer. Dieu voulait ces combats-là, où chacun de ses fils jetait tout ce qu'il avait reçu en force, en courage, en intelligence. Dieu aimait que l'on se battît ainsi pour Lui. Il fallait choisir le terrain, la boue, le sable mouillé, l'eau, ou au contraire les pierres, les ronces, les morceaux de verre, un terrain qui fasse les corps glissants, visqueux, un terrain qui les colle, un terrain qui les blesse...

Il tapa du pied la terre, il écarta les feuilles.

« Ce n'est pas notre terrain, observa-t-il, mais, là-bas, cela pourrait nous convenir. »

Il montra de la tête un fossé sous les arbres, un fossé presque invisible, qui semblait rempli de bois mort.

« Un vrai combat, continua-t-il, est un combat où tout est permis, tout, même le pire. » Il répéta « même le pire ».

Il me secoua par les épaules.

« Il faut le sang... tu comprends qu'il faut le sang... le sang colle les corps... et aucun bruit... aucun bruit. »

Il écouta un moment le silence de la nuit. Il ne me parlait plus, il se parlait à lui-même.

« Le silence... aucun mot... aucun cri... rien que le bruit des coups, le bruit des corps... »

Il me passa les deux bras autour de la taille, il me retenait maintenant contre lui. Et il dit presque solennellement :

« Les fils de Dieu se battent nus. »

Je voulus l'empêcher de continuer, le repousser. Il me serra :

« Tu ne t'en iras pas. »

Ses cuisses maintenant s'appuyaient sur les miennes. Il parlait en haletant. Il me dit que les vrais garçons se déshabillaient patiemment, chacun observant l'autre, qu'il se retrouvaient nus, face à face, qu'ils faisaient durer ce moment où les corps se toisaient, où les corps apprenaient à se connaître, à s'admirer avant de s'empoigner.

Il ajouta très vite :

« On n'affronte pas n'importe quelles jambes, n'importe quel torse... On ne se bat pas avec un garçon laid. »

Il me rejeta brusquement en arrière.

« J'ai choisi de me battre avec toi. »

Il était presque suppliant.

« Toutes les nuits, je rêve que nous nous battons... que nous nous battons nus... »

Il se mit à se déshabiller. Il arracha d'un coup sec sa chemise, puis il retira avec application ses chaussures et ses chaussettes, qu'il jeta au loin. Il attendit un moment que je fisse de même. Maintenant son regard ne me quittait plus et je n'entendais plus que son souffle dans la nuit. Lentement, presque religieusement, il dégrafa sa ceinture, il fit tomber sa culotte, il en sortit les jambes, il les tint écartées.

« Prépare-toi », commanda-t-il.

D'un geste il retira son slip, un moment il le garda à la main, et il me le lança au visage.

« Et maintenant, hurla-t-il, mets-toi nu, si tu n'es pas un lâche. »

Et il se jeta sur moi.

Nous roulâmes au sol, je sentis sur moi le poids de son torse et de son ventre nus. De sa main gauche il essayait de défaire ma ceinture, il m'arrachait mes vêtements, il hurlait « tu n'es qu'un lâche... rien qu'un lâche », il se roulait sur moi d'un mouvement régulier, implacable, comme s'il voulait me marquer de tout son corps.

Je ne sais comment je parvins à le frapper au menton, si violemment qu'il perdit un moment conscience. Je réussis à m'échapper et je courus comme un fou dans la forêt. Je ne m'arrêtai qu'à bout de souffle, à la lisière d'un champ. Je remis en ordre apparent ce qu'il restait de mes vêtements, et j'attendis plusieurs heures avant de retourner au camp. Mais je ne rentrai pas sous la tente, je restai caché à quelques centaines de mètres. Je n'apparus qu'au petit matin. Bernard était à son poste, surveillant les garçons qui démontaient les mâts et fermaient leurs sacs. Je vins vers lui pour m'excuser de cette scène, il ne m'en laissa pas le temps. Il me dit « fais ton sac » d'une voix qui ne souffrait aucune réplique. Ni sur la route du retour, ni dans le train il ne m'adressa la parole. Il ne me voyait plus.

Rentré à Paris, je priai ma mère de me retirer des scouts. Elle finit par y consentir, car mes notes, le dernier trimestre, n'avaient cessé de dégringoler. J'affirmai que les scouts se riaient du travail scolaire, qu'ils s'acharnaient à m'en dégoûter. Elle téléphona dans un premier temps pour raconter que j'étais souffrant, puis pour prévenir que je ne viendrais plus.

Dans les mois qui suivirent, je revis deux des Léopards. Ils ne me dirent pas un mot de Bernard, comme s'ils pensaient que, devant moi, il fallait même éviter de prononcer son nom. Le temps passa, emportant cette aventure. Mais, un jour que je me promenais rue de l'Université, c'était, je crois, le Mardi gras, je vis Bernard qui venait à moi. Nous marchions l'un vers l'autre, sur le même trottoir, nous ne pouvions nous éviter. Il ne me tendit pas la main. Je bredouillai quelques mots, je lui demandai de ne pas m'en vouloir, de tout oublier. Il me répondit :

« Toi, tu peux m'oublier... ça t'est facile. »

Et il ajouta, regardant ses chaussures :

« J'aurais mieux fait de ne jamais te rencontrer. »

Puis il reprit son chemin, sans me permettre de lui répondre.

Bernard de Récy a été tué, en 1944, dans le maquis du Vercors. Il n'avait pas dix-huit ans.

LA COMPOSITION DE FRANÇAIS

Feldman, je l'ai connu en troisième au lycée Charlemagne. C'était en 1943. Feldman portait l'étoile juive, mais ceci ne le singularisait pas ; dans notre classe, plus de la moitié des garçons la portaient, cousue sur le chandail ou épinglée sur la veste. Son étoile à lui, il fallait être tout proche pour la voir. Feldman était grand, très maigre, très voûté, de loin on ne voyait que sa bosse et ses longs cheveux roux. Dans la cour du lycée, il se tenait à l'écart, les bras croisés sur la poitrine, il remuait les lèvres comme s'il parlait à voix basse, et nous pensions qu'il récitait ses leçons. Il transportait toujours une valise noire qui semblait le courber davantage, une vieille valise de cuir déchiré. Il en tirait ses livres, ses cahiers, et ses stylos, car il en avait des dizaines. On racontait qu'il y cachait aussi des vêtements.

Feldman ne parlait à personne, personne ne lui parlait. Nous n'échangions avec lui que les mots tout à fait nécessaires. Il entourait le peu qu'il disait de « merci », de « pardon », sa voix était trop haut perchée mais elle ne nous paraissait pas ridicule, et si par hasard il vous regardait, ses yeux bleus disaient une douceur un peu triste, une sorte de compassion. Tous nous respections sa distance. Feldman ne jouait pas, il ne chahutait pas, il ne se mêlait à aucune conversation. Nous avions accepté qu'il fût différent de nous, nous ne lui posions aucune question, nous veillions à ne pas le déranger par nos jeux, par nos bagarres, parfois nous nous écartions de peur de l'importuner, il nous remerciait d'un sourire. Sa solitude faisait partie de nos règles.

Feldman était bon premier dans toutes les matières, sauf en anglais et en dessin. Il n'allait pas en gymnastique, dispensé, disait-on, à cause de sa bosse, et peut-être d'autres infirmités. Qu'il fût le meilleur d'entre nous, cela ne se discutait pas, les professeurs y étaient habitués, comme nous-mêmes, ils annonçaient « premier... Feldman » d'une voix banale, le vrai classement commençait ensuite. Feldman recevait sa première place, et sa note souvent proche du 20, comme en s'excusant, il se levait, les yeux baissés, les bras croisés, il arborait un sourire contrit. Un jour, le professeur de français voulut plaisanter : « Ne vous levez pas, Feldman, chaque fois que vous êtes premier... vous serez vite fatigué. » Il n'osa tout à fait se rasseoir, il resta mi-assis mi-debout, tordu, consterné, il n'était plus que sa bosse.

En classe de troisième, Feldman eut bien sûr le prix d'excellence, et la plupart des premiers prix. J'en récoltai quelques seconds. Je me souviens de cette distribution solennelle. Feldman montait sur l'estrade à l'appel de son nom, il montait, il descendait, il revenait, sous les applaudissements des professeurs et les nôtres, il était plus courbé que jamais, il s'appliquait à ne pas rater une marche, à ne pas tomber, on eût dit qu'il dissimulait son visage dans ses livres, dans ses bras, qu'il eût voulu s'effacer dans un mur, disparaître. Je crois que nous étions fiers de lui, mais il semblait presque honteux. J'observai qu'aucun parent n'était venu pour lui, qu'il était seul, sans personne à qui passer ses livres. Les professeurs aussi l'avaient remarqué, et, la cérémonie finie, plusieurs vinrent lui parler. Je m'enhardis à mon tour, et quand se fut éloigné le professeur d'histoire, je m'approchai, préparant mes mots, je lui dis « je te félicite », il me répondit « moi aussi » d'une voix absente. J'ajoutai « je te souhaite de bonnes vacances ». Cette fois il ne répondit pas, mais il me tendit la main. Je crois que je ne lui avais jamais serré la main, je la pris trop fiévreusement, il parut surpris, il se dégagea, il eut peur sans doute de m'avoir offensé, il me sourit, de son meilleur sourire, il me dit « on se reverra peut-être », mais ses yeux regardaient très loin.

Nous nous revîmes en seconde. Les professeurs avaient changé, les élèves étaient les mêmes, ou presque, deux ou trois nouveaux venus, quelques absents, mais nous étions habitués à ce que manquât sans raison l'un d'entre nous. En ce temps-là, chaque professeur faisait à chaque cours l'appel des présents, et au premier appel, le matin, il arrivait que l'un de nos camarades ne répondît pas. Il pouvait être malade, mais ce silence était mauvais signe. Le professeur répétait le nom, deux fois, trois fois. Parti ? Arrêté ? Disparu ? Nous enfoncions nos nez dans nos papiers. Le professeur passait au nom suivant.

Bien sûr, Feldman recommença à être premier partout. Il me sembla que les mots échangés le jour de la distribution des prix n'avaient pas été indifférents. Il me souriait comme à aucun, je le croyais du moins, et, lors des récréations, il me laissait m'installer à deux ou trois mètres de lui sans se déplacer. Nos camarades s'en aperçurent, quelques-uns me dirent que je cherchais à me faire bien voir de Feldman, que je fayotais. Un mardi, j'eus l'audace de lui demander où il habitait, « dans le quartier », me répondit-il, et il se mit à fouiller sa valise noire pour échapper à mes questions.

Ma mère supportait mal les places de second, de troisième, que je rapportais dans toutes les matières. Dans sa famille, m'expliqua-t-elle, les garçons étaient toujours les premiers. Il me fallait un professeur qui me donnât des leçons particulières. Quel professeur ? Elle n'en connaissait pas. Elle ne fréquentait que des musiciens, des compositeurs ou des artistes. Elle avait reçu à sa table des universitaires, mais qui écrivaient des livres. Un vrai professeur, elle ne savait où le trouver. Elle n'osait aller jusqu'au lycée, mettre les pieds dans ce monde mystérieux, effrayant, et pourtant elle rêvait que son fils fût le premier. « Débrouille-toi, me dit-elle, pour te trouver un professeur. » Elle me serra dans ses bras. « Tâche d'être premier, fais-moi plaisir... » Elle m'appelait son « premier chéri », son « amour de premier », elle me couvrait de baisers. Je ne savais pas lui faire de peine, je ne pouvais rester second.

J'eus bien du mal à aborder le professeur de lettres pour lui demander s'il consentirait à me donner des leçons. Il me répondit sèchement que ses cours suffisaient à tous. Il me fit remarquer qu'un professeur, s'il donnait des leçons payantes à l'un de ses élèves, n'était plus un professeur mais un marchand, il s'énervait tandis qu'il me parlait, « comment une pareille idée a-t-elle pu vous venir ? », il me regardait de la tête aux pieds, j'imaginais qu'il me trouvait trop bien habillé, riche peut-être, je bredouillai des excuses, il se radoucit, il m'expliqua que j'avais déjà beaucoup de chance d'être si bien placé, Feldman c'était autre chose, c'était « un cas », me dit-il, moi je n'étais pas un cas. Je le priai de ne pas me tenir rigueur de ma démarche, c'était la faute de ma mère, elle voulait que je fusse premier, et moi je ne voulais que lui faire plaisir, mais je comprenais très bien, je ne prendrais aucune leçon. « Vous direz à votre mère qu'il ne faut pas être le premier. » Le professeur commença de me parler gentiment. Comme Feldman, il avait toujours été premier en classe, mais il n'avait pas cessé d'en souffrir. Il me tapota plusieurs fois l'épaule. « Croyez-moi, le succès est une mauvaise habitude. » Ces mots parurent le satisfaire, il les répéta.

Feldman nous avait-il observés, lui qui semblait ne rien voir ? Ou fut-il surpris de me découvrir là, à quelques pas de lui, prostré ? Pour la première fois, il vint vers moi.

« Tu as besoin de quelque chose ?

— Je cherche un professeur. »

J'avais dit cela bêtement, ne sachant que

lui répondre, je regrettais cette confidence, je crus l'effacer en la noyant dans une autre confidence :

« Ma mère voudrait que je travaille mieux... Elle veut que je prenne un professeur. »

Feldman s'éloigna sans me répondre. Je courus m'enfermer aux toilettes.

Le soir, j'embrassai ma mère comme si de rien n'était, mais je ne dormis pas de la nuit, cherchant un moyen de rattraper mes sottises. Épuisé, au petit matin, je décidai d'expliquer au professeur de français, puis à Feldman, que ma mère était malade, ce qui pouvait excuser mon trouble, que j'avais perdu la tête, mais que, désormais, je travaillerais de mon mieux sans plus jamais penser à des leçons particulières.

Devant la porte du lycée, Feldman attendait. Quand j'approchai, il marcha vers moi et, sans me laisser le temps de me préparer, il me dit, très vite :

« J'ai réfléchi à ton problème... Je te propose de devenir ton professeur. »

Il vit que je ne comprenais rien. Alors il me poussa doucement en avant, m'enfonçant sa valise noire dans les reins, il m'éloignait du lycée, j'avais peur qu'il ne nous mît en retard, je n'osai pourtant lui résister, nous marchions sans rien dire, il cherchait ses mots, mais le temps nous pressait, il me parla par petits bouts de phrases qui venaient en saccades, il me dit que lui non plus il n'avait pas de père, qu'il vivait avec sa mère, que sa mère ne s'occupait pas de ses études, que la mienne avait raison de m'obliger à prendre des leçons, il m'expliqua qu'il voulait devenir professeur, professeur de lettres, ou de philosophie, c'était un secret qu'il me demandait de garder, et il voulait commencer à se préparer, dès maintenant il voulait donner des leçons, voir s'il en était capable, sinon il choisirait une autre voie, médecin ou avocat. J'objectai qu'il était capable de tout, qu'il savait tout, il me répondit que cela n'avait aucun rapport, savoir et enseigner.

« Tout savoir, me dit-il... c'est le plus facile. »

Sa voix était toute menue et les mots se bousculaient.

« Tu vois, même parler, c'est difficile. »

Il essaya de crier :

« Je ne sais pas parler ! »

Il devint suppliant. J'opposai n'importe quoi, que le temps lui manquerait, que nous ne pourrions travailler chez moi car ma mère ne comprendrait pas, ni sans doute chez lui, il me répondit que le temps était son affaire, que d'ailleurs il ne dormait guère, nous travaillerions par exemple une heure par jour, ou moins, ou plus, n'importe où, dans une impasse ou sur les bords de la Seine, à la tombée de la nuit, il apporterait tout le matériel, personne ne nous verrait, personne n'en saurait rien, je ferais des progrès, cela il me le promettait, et lui, en échange, il saurait vite s'il était digne d'être professeur, digne de son rêve...

C'était l'heure, presque passée, d'être au lycée, et il parlait toujours, il faisait des moulinets avec sa valise noire, il parlait pour lui plus que pour moi, il rêvait d'être professeur, et moi je redoutais d'être en retard, en retard pour la première fois, je capitulai :

« C'est d'accord. »

Il me fit répéter précipitamment « promis », « promis ». Je partis, je courus sans l'attendre, j'étais catastrophé.

Et Feldman fut mon professeur. Dès notre second entretien, le lendemain matin, il me parla, comme un maître, sur un ton de douce autorité. Je l'écoutai tel un élève. Il me fit connaître nos horaires, le lieu de nos rendez-vous, le programme de la première semaine, les exercices qu'il attendait de moi les trois jours suivants. « N'en parle pas à ta mère », me dit-il, et, pressentant l'un de mes soucis, il ajouta « ne me parle jamais d'argent ». Il me dit encore « je te demande de me vouvoyer pendant les cours... ce sera plus facile ». Je hochai la tête, j'eusse dit oui à n'importe quoi.

Nous nous retrouvâmes quatre fois par semaine, de dix-huit à dix-neuf heures. Chaque jour, il me fixait le rendez-vous du lendemain. Le plus souvent, je le rejoignais au bord de la Seine, sur un bout de quai à peu près désert qu'il avait repéré, parfois aussi, car il jugeait prudent de diversifier les lieux, dans un petit jardin du Marais que fréquentaient des vieillards. Toujours il m'attendait debout. J'imaginais qu'il arrivait un long temps à l'avance, pour surveiller l'endroit, aussi pour se préparer. Tant que dura l'hiver, il apporta une lampe de poche. Je m'asseyais tout contre lui, sa valise noire nous servait de pupitre. Puis nous travaillâmes au jour. Le lundi et le mardi il m'enseignait le français, le mercredi et le vendredi étaient consacrés au latin, nous ne laissions qu'une heure au grec, car il doutait de l'importance du grec. « Comme méthode, m'expliqua-t-il, le grec ne vaut pas grand-chose. » Les autres disciplines étaient exclues, soit qu'il ne se crût pas capable de les enseigner, soit qu'elles lui parussent insignifiantes. C'était, bien sûr, en lettres que se situeraient mes vrais progrès.

Tantôt Feldman m'interrogeait sur les sujets qu'il m'avait dit de préparer, tantôt il reprenait avec moi les devoirs qu'il m'avait commandé de faire à la maison. Il m'expliquait ses corrections écrites, portées à l'encre rouge sur ma copie, le plus souvent illisibles, et plus abondantes que mon propre texte, il ajoutait bien sûr, en parlant, de nouveaux commentaires, puis il justifiait longuement ma note. Enfin il consacrait les dix dernières minutes de chaque cours à ce qu'il appelait son « Collège de France », un exposé savant et passionné sur un thème qu'il avait choisi avec moi la semaine précédente, une vraie leçon magistrale dont le but n'était plus de transmettre des connaissances, mais, m'avait-il expliqué, de m'apprendre à réfléchir, et, pourquoi pas, à enseigner. « Je vous enseigne la pensée », me disait-il fièrement. A la fin de sa leçon, il se levait, il concluait en gesticulant, il me tournait le dos, s'adressant à un public absent, puis il se retournait brusquement vers moi, « concluez à votre tour... livrez-moi votre pensée », me disait-il, il attendait à ce moment qu'en deux ou trois minutes je me montre intelligent et savant, que je m'exprime à merveille, c'était la récompense de l'enseignant, et je savais qu'à ce moment Feldman se mettait sa note à lui, qu'il vérifiait s'il était capable de devenir un grand professeur. Il m'écoutait avec anxiété, et, pour lui plaire, je rassemblais toutes mes forces. « Allez-y, allez-y », me recommandait-il, et, pour m'encourager, il m'interrompait, « c'est excellent ». Parfois je criais pour me donner courage, ou pour couvrir le bruit des péniches qui passaient, ou parce qu'il me forçait à l'enthousiasme.

Il criait avec moi. C'était la fin du cours. Il me semble que nous étions heureux.

En trois mois je fis de sérieux progrès. Le professeur de lettres les remarqua. Mes notes écrites gagnèrent entre deux et cinq points, je répondais mieux aux interrogations orales, j'étonnais la classe en affichant des connaissances qui ne venaient pas de nos manuels scolaires. Je parlais avec plus d'aisance, et je semblais réfléchir en parlant. Content de moi, le professeur de lettres me prit dans un coin. « Vous voyez que mon cours vous suffit. Vous n'aviez aucun besoin de leçons particulières. » « C'est vrai », répondis-je, et je m'excusai à nouveau de ma démarche. « C'est oublié », me promit-il avec un geste qui effaçait le passé.

Nous étions contraints, Feldman et moi, à mille précautions. Je crus bon d'avouer à ma mère que, comme elle l'avait voulu, je prenais des leçons : le professeur de lettres me gardait au lycée une heure chaque soir. « Tu verras », me dit ma mère, fière de mes nouveaux résultats, « tu seras premier à la fin du trimestre ». Elle me remit, pour le professeur, des enveloppes dont j'avais été obligé, sans trop savoir, de fixer le montant. Le samedi soir, j'allais distribuer cet argent aux mendiants et aux clochards. Je changeais chaque semaine de quartier pour n'éveiller aucun soupçon. Tous ils me regardaient ahuris, je leur donnais des tas d'explications, c'était mon anniversaire et je voulais qu'ils fissent la fête, ou j'avais trouvé cet argent dans la rue et je souhaitais le partager. Un jour je m'enhardis, j'achetai deux livres pour Feldman, deux jolis livres de Voltaire, il les accepta d'abord, puis, le lendemain, il me les rendit, il me dit qu'il les avait lus dans la nuit, « si tu veux me faire plaisir, me dit-il, sois premier en composition française... et latine ». Je répondis. « Et en grec ? » « En grec, laisse-moi la place. » Il se mit à rire, un petit rire vite cassé, il ne savait pas rire.

Pour qu'aucun de nos camarades ne nous vît ensemble, nous venions, nous repartions séparément. Nous veillions à n'être pas suivis. Nous avions mis au point plusieurs itinéraires qui nous obligeaient parfois à de longs détours. Au lycée, je me tenais maintenant à bonne distance de Feldman. Nous ne nous parlions jamais.

Nous ne nous regardions pas davantage. Je ne pouvais le voir, quand j'étais interrogé, car son pupitre était au fond de la classe et le mien au second rang. Mais je l'imaginais, les yeux baissés, feignant l'indifférence ou regardant le plafond. Pourtant, j'étais sûr que son cœur battait, comme battait le mien, dès que le professeur prononçait son nom, « Feldman au tableau », mes mains se mettaient à trembler. Parfois je fermais les yeux pour ne pas le voir s'approcher, de sa démarche hésitante, maladroite. Quand il parlait je ne supportais pas que le professeur l'interrompît, Feldman était bien meilleur que lui, Feldman ne disait que des choses merveilleuses. Un jour le professeur de lettres osa lui dire : « Feldman, vous travaillez moins qu'autrefois », je jetai mon stylo à terre, le professeur s'étonna, « qu'est-ce qu'il vous prend ? », j'inventai des excuses, j'étais fatigué, presque un malaise, Feldman me regarda, nous fûmes imprudents ce jour-là, le seul.

Je crois que nous ne nous sommes jamais rien dit qui ne concernât notre travail. La leçon s'ouvrait sur l'énoncé du programme, « aujourd'hui nous allons... », elle se fermait sur la note que Feldman m'attribuait, se tenant la tête, après un court moment de réflexion. Il n'y avait ni temps ni place pour une conversation. Où habitait l'autre ? Avait-il des frères, des sœurs ? Où passait-il ses vacances ? Nous savions d'instinct que cela ne nous regardait pas, que nous n'en parlerions jamais. Je savais de Feldman qu'il était juif, et qu'il voulait être professeur. Je lui trouvais du génie. De moi il savait que j'étais mieux habillé que lui, sans doute mieux logé, et bon élève. Il devait soupçonner que je l'admirais. Que nous fussions l'un et l'autre orgueilleux, déchirés par la moindre blessure, que nous eussions peur de tous, envie d'être seuls, nous n'avions pas besoin de nous le dire. Nous pressentions que nous n'étions pas faits pour vraiment nous connaître, juste nous rencontrer. Parfois, c'était le seul moment de détente, quand le bruit des péniches couvrait nos voix, nous écoutions ensemble. Nous rêvions. Nous étions bien.

Quand approchèrent les compositions du second trimestre, Feldman m'avertit qu'il lui faudrait porter ses leçons d'une heure à une heure et demie. « Il faut que tu sois premier, me dit-il, premier et rien d'autre. » Il me laissait tant de devoirs à faire à la maison, de leçons à apprendre, que je faiblissais dans les matières qu'il ne m'enseignait pas. Je reculai en maths. « On s'en moque, m'expliqua-t-il, les maths ne comptent pas. » Ma mère me disait à peu près la même chose, que mes notes en mathématiques l'indifféraient, qu'elle serait tant heureuse si j'étais premier en latin ! Je voulais leur faire plaisir à l'un et à l'autre. Je travaillais comme un fou.

Ce fut la grande semaine, la dernière du mois, celle des compositions essentielles. En grec il me sembla avoir fait un devoir convenable, ce que me confirma Feldman quand il lut mon brouillon. Mais je m'égarai dans la version latine, j'étais trop énervé, je ne parvins pas à la finir. Désespéré, je rejoignis Feldman, comme convenu, sur le Pont-Neuf. Il lut mon texte, appuyé sur le parapet du pont, il releva trois gros contresens, il regardait la Seine tristement, il cherchait des arguments pour justifier mes contresens, mais lui n'en avait commis aucun, non je ne serais pas premier, il semblait désemparé, je lui promis d'être excellent en français, il hocha la tête pour m'approuver. Y croyait-il vraiment ? Nous nous quittâmes, sombres, si déçus.

Et je fus excellent en français. Un vrai miracle ! Nous eûmes à commenter une phrase de Valéry, de Valéry dont le professeur nous avait fort peu parlé. Mais Feldman m'avait passé un livre sur cet auteur, et je fis, porté par l'érudition et la grâce, un bon travail. Quand il lut mon brouillon, Feldman laissa éclater sa joie. « Tu seras premier, c'est sûr. » Il semblait si optimiste qu'il me convia pour la première fois dans un café où nous bûmes, l'un à la santé de l'autre, un jus d'orange. « Tu seras premier », répétait-il. J'objectai : « C'est toi qui le seras. » Il m'assura que non, sa copie était franchement mauvaise, il prit un air désolé. Cela me parut étrange, impossible que sa copie fût mauvaise, à moins qu'il ne l'eût voulu, il devina que je le soupçonnais, il but, je bus, nous cherchions une contenance.

Le mardi matin, le professeur de lettres donna les résultats de la composition latine. Feldman était premier, j'étais troisième, l'écart était de quatre points. J'osai tourner la tête. Feldman esquissait un sourire presque invisible, un sourire pour moi, ce n'était pas sa place qui le réjouissait, c'était la mienne. J'avais gagné trois points et six places depuis la dernière composition. Il restait encore un trimestre. Oui, le professeur Feldman avait bien travaillé.

Quand nous nous quittâmes, le jeudi soir, après la leçon, il fit quelques pas avec moi au bord de la Seine, ce qui n'était pas habituel, mais, le temps passant, nous devenions moins prudents. Son « Collège de France », il le consacra ce jour-là à Verlaine et à Rimbaud, il m'avait enseigné leur rencontre, leur amitié, leur drame. Je lui dis « j'aimerais être Rimbaud », il murmura « et moi être Bergson ». Je ne savais rien ou presque de Bergson, je n'osai l'interroger, mais j'avais peur du silence. Je dis, regardant la Seine à nos pieds, « tu aimes la mer ? », il me répondit « je ne la connais pas ». Il regarda au loin, comme s'il allait vers elle.

Je n'ai pas revu Feldman. Le vendredi matin, quand le professeur fit l'appel, Feldman ne répondit pas. Le professeur répéta son nom, « Feldman », « Feldman », depuis près de deux ans Feldman n'avait pas une seule fois manqué la classe, mais ce matin-là Feldman n'était pas présent.

Alors le professeur donna les résultats de la composition française. L'absence de Feldman l'avait désorienté, et le professeur parlait dans tous les sens. J'étais premier, bon premier, c'était très bien, j'avais fait de remarquables progrès, mais Feldman était absent, et sa copie un désastre, un désastre incompréhensible, une copie bourrée d'erreurs, mal écrite, le professeur ne comprenait pas ce qui était arrivé à Feldman, bien sûr cette composition ne signifiait rien, Feldman était préoccupé, anxieux, peut-être malade, qu'avait-il, on le saurait demain, ce n'était pas possible que Feldman ne fût pas premier, pas possible qu'il fût absent !

Feldman ne revint pas au lycée. Les professeurs nous dirent que peut-être il avait été arrêté, ou qu'il était parti, on ne pouvait deviner. Il fallait attendre, espérer. Moi je savais que si Feldman avait dû partir, il eût attendu les résultats de la composition française. Il n'eut disparu que le lendemain.

Tous les soirs, trois mois durant, je suis retourné dans les squares, sur les berges, où il me donnait ses leçons. J'y restais tous le temps que nous avions l'habitude de passer ensemble. Je n'avais pas d'autre chance de le retrouver que de l'attendre.

J'eus beaucoup de peine, après la Libération, à savoir ce qui s'était passé. Feldman avait été arrêté, avec sa mère, dans cette nuit du jeudi au vendredi, à quatre heures du matin.

Ils sont morts tous les deux à Auschwitz.

ADIOS, DOLORÈS

J'étais tout jeune avocat. J'avais loué, puis aménagé de mon mieux un petit appartement, au rez-de-chaussée de la rue Cortambert, digne de recevoir mes premiers clients. Pour qu'ils fussent rassurés, pour qu'ils reviennent, s'il se pouvait, j'avais soigné chaque détail. J'avais choisi des sièges faits pour attendre, ni trop rudes ni trop confortables, des lumières basses qui préparaient aux confidences. Dans mon minuscule salon d'attente, j'avais décidé de ne placer que des revues intellectuelles. Sur la cheminée, un vase rempli de fleurs avait mission de plaire, de laisser croire au raffinement. Mais il me manquait une personne pour faire le ménage, ouvrir la porte, introduire les clients au salon, répondre au téléphone quand manquait une secrétaire que je ne pouvais employer qu'à mi-temps, une personne de confiance qui veillât sur tout, qui vidât les cendriers, qui changeât les ampoules mortes, qui traquât la moindre poussière, il me manquait une bonne, comme on disait alors, une bonne capable de tout faire, et même de préparer mes repas, une bonne toujours présente, toujours souriante, et parfaitement effacée.

Un de mes amis me parla de Dolorès. C'était une Espagnole, et les Espagnoles, m'expliqua-t-il, travaillaient beaucoup, quoiqu'elles fussent mal payées. Dolorès était orpheline, elle n'avait ni frère ni sœur, aucun parent, ce qui était un grand avantage, m'assura mon ami, puisqu'elle pouvait, n'ayant personne à soutenir, se contenter de peu. Elle était arrivée de Barcelone un an plus tôt, elle n'avait cessé de chercher du travail, en vain, c'était faire un bon geste que de l'employer. Dolorès n'avait qu'un défaut, elle ne savait pas un mot de français, mais elle se disait disposée à suivre des cours pour l'apprendre au plus vite. Bref, elle était à peu près parfaite, et probablement honnête parce que pieuse, presque dévote. Mon ami l'avait rencontrée une fois. Elle était venue rendre visite à sa propre employée afin que celle-ci l'aidât à trouver du travail, il avait aperçu Dolorès, dans la cuisine, assise sur le bord d'une chaise, elle s'était aussitôt levée, voyant entrer le maître de maison, un très bon signe lui semblait-il, elle était vêtue tout de noir, elle paraissait propre, elle se tenait modestement, peut-être avait-elle mauvaise mine, elle risquait d'être parfois malade, les Espagnols tombaient malades pour profiter des lois sociales, il n'y avait pas que les Espagnols, tous les salariés ne cherchaient plus qu'à être malades, mon ami détestait les lois sociales qui encourageaient à la paresse, mais il me recommanda chaudement Dolorès. « Tu verras bien, me dit-il, si elle ne te convient pas tu la mettras dehors. » Il conclut gravement : « On ne vit pas sans risques. »

Dolorès vint se présenter un jeudi soir, à la tombée de la nuit. Elle était minuscule, maigre, fragile, enfermée dans un manteau noir. D'elle je ne voyais bien que ses cheveux, très noirs aussi. Elle garda les yeux fixés sur le tapis et n'osa me regarder que deux ou trois fois. Je surpris alors un regard clair, presque transparent, qui me parut étrange chez une Espagnole. Dolorès n'avait pas d'âge, peut-être quarante ans, peut-être soixante, je lui demandai sa date de naissance mais elle ne comprit pas ma question, elle ne comprit d'ailleurs aucune de mes questions. Elle se tenait toute droite, figée, ne cessant de hocher la tête, pour m'approuver, et de gratter légèrement le sol du pied gauche, comme un taureau pensai-je, ce devait être une habitude de son pays. Je parlai avec plus de gestes que de mots pour lui faire entendre ce que j'attendais d'elle, et ce que je lui donnerais chaque mois, elle parut un moment s'affoler quand je lui montrai le téléphone pour désigner l'une de ses besognes, elle mit ses doigts dans sa bouche, je levai les bras au ciel, nous ne pouvions nous en dire davantage. Quand elle comprit qu'elle était embauchée, quand je lui tendis la main, elle s'inclina pour y poser ses lèvres. J'étais gêné mais elle recommença, elle me baisa la main deux fois, trois fois, j'éclatai de rire pour me donner une contenance, elle leva sur moi un regard anxieux, presque douloureux, elle avait peur de m'avoir déplu. Je la raccompagnai à la porte, de dos elle me parut plus vieille encore, déjà voûtée, et trottinante, je lui dis *Adios, Dolorès* pour lui faire plaisir, elle s'inclina autant qu'elle put. La porte refermée, je compris que j'avais commis une bêtise. Dolorès ne me convenait pas du tout. Il m'eût fallu une jeune femme, souriante, qui laissât à mes clients un agréable souvenir. Dolorès risquait de les faire fuir. Je l'avais embauchée par lâcheté.

Elle prit son service le lundi qui suivit, et je mesurai vite l'étendue du désastre. Dolorès m'apparut incapable. Sa cuisine était une catastrophe. Non seulement parce qu'elle ne savait préparer aucun plat, qu'elle n'avait aucun goût, mais parce qu'elle ne pouvait user d'aucun instrument. Elle n'osait se servir du four, quoique je lui en eusse expliqué, dix fois au moins, le fonctionnement, non elle ne le pouvait pas, elle me fit comprendre, à force de regards inquiets, que c'était bien trop dangereux. Des machines à laver il ne pouvait être question. Elle s'y reprenait à vingt fois pour allumer le gaz, elle oubliait les casseroles sur le feu, elle s'affolait, manipulant tous les boutons, et elle m'appelait quand l'odeur devenait effrayante. Elle ne jetait rien, pas même une croûte de pain, elle enveloppait soigneusement celle-ci dans un papier, elle accumulait tous les restes dans le frigidaire au point qu'en quelques jours il devint impossible d'y mettre quoi que ce fût. Le ménage, elle le faisait à sa manière. Avec un balai et une pelle, elle rassemblait au hasard quelques poussières, la plupart elle les laissait en place, elle tournait autour comme si elle se prenait de tendresse pour elles, elle nettoyait dix fois le même meuble avec un soin passionné, négligeant tous les autres. Pourtant Dolorès n'arrêtait pas de travailler, toujours debout, toujours active. Elle descendait de sa petite chambre le matin, à sept heures. Je l'entendais aussitôt s'agiter, je me demandais ce qu'elle pouvait faire puisque au soir elle n'avait encore rien fait, elle remontait vers minuit, je ne l'ai jamais vu prendre le moindre repos durant tout le jour, elle ne sortait que le dimanche à 11 h 30, pour aller à la messe, et peut-être ensuite retrouver une compatriote. Elle revenait à 17 heures, elle frappait à la porte de mon bureau, elle me priait de lui donner du travail, toujours du travail, elle cirait mes chaussures des heures durant, elle brossait mes costumes, elle recommençait dès qu'elle avait fini, elle était capable de brosser une veste tout un après-midi. Dolorès travaillait comme une bête et elle ne faisait rien.

Le pire était qu'elle cassait. Ses gestes étaient si rapides, si maladroits qu'elle heurtait les meubles, qu'elle brisait les verres, les assiettes, les vases. Elle se mettait à quatre pattes pour ramasser les morceaux un à un, elle les posait dans un vieux carton qu'elle renversait ensuite. Cela pouvait l'occuper des heures. Un jour je vins l'aider, elle se mit à pleurer, à pleurer en se cachant. Je l'avais humiliée. On pouvait sonner à la porte, une fois, dix fois, sans qu'elle s'en aperçût. Si, par chance, elle entendait, elle se précipitait en courant, si vite qu'elle se cognait partout. Elle arrivait à la porte essoufflée, probablement ridicule. Dès les premiers jours, j'avais renoncé à la laisser répondre au téléphone, d'ailleurs elle ne répondait pas, elle décrochait, elle écoutait, elle faisait des gestes désespérés, elle hochait la tête pour dire qu'elle était d'accord, elle ne savait pas si son interlocuteur avait raccroché, elle restait le téléphone à la main jusqu'à ce qu'une autre besogne l'appelât.

Dolorès était nulle. Je résolus de le lui dire, le plus doucement qu'il se pût, le dernier jour du mois, et de la congédier. C'était un dimanche. Je la fis venir dans mon bureau. Dolorès s'était parée pour aller à la messe. Elle avait placé sur ses épaules une écharpe bleue, et sur sa tête un chapeau noir, si petit qu'il semblait ne tenir que par miracle. Elle était toute raide en face de moi, les mains jointes, j'avais préparé mon discours, il ne me manquait que la première phrase. « Ma chère Dolorès, malheureusement... », « Dolorès, je suis navré de devoir vous dire... », je la regardai, elle n'avait jamais été plus chétive, elle s'était habillée de son mieux, peut-être pour Dieu, peut-être pour moi. Ses mains semblaient déjà en prière. Avant que je n'eusse ouvert la bouche, elle me dit : « Je suis si contente de travailler chez Monsieur. » Ces mots, elle les avait appris par cœur, s'appliquant même à chasser l'accent. Elle vit que je les avais compris, elle me sourit, d'un grand sourire tout rassuré, elle semblait presque heureuse. Je mesurai la peine, le temps qu'il lui avait fallu pour répéter cette phrase, ces huit mots de français dits ensemble. Elle n'osait plus parler, moi non plus, elle retira soudain son chapeau, peut-être croyait-elle irrespectueux de le garder sur sa tête, et elle le tint entre ses mains. Je sortis l'enveloppe que j'avais préparée pour elle, je la lui tendis, elle la prit en s'inclinant, elle devint plus petite encore, elle voulut sortir mais elle n'osa me tourner le dos, elle marcha à reculons, des pas minuscules, quand elle heurta la porte elle se retourna, elle se sauva en courant.

Six mois plus tard, Dolorès occupait une bonne part de ma vie. Le matin vers huit heures, j'allais à la cuisine, je préparais mon petit déjeuner et le sien. Un temps je transportai mon café et mes toasts dans ma chambre, puis je crus plus simple de les avaler à la cuisine. J'étais assis, Dolorès debout, elle se tenait à distance. Quand j'avais fini, je disais « bon » pour conclure, alors elle venait chercher ma tasse et mon assiette, elle les lavait devant moi avant que je n'eusse quitté la pièce, s'appliquant à ne rien casser. Si je déjeunais chez moi, je m'occupais du repas, elle tenait la poêle tandis que je remuais l'omelette, elle me regardait mettre le four en marche, tourner les boutons, elle murmurait quelques mots d'espagnol, j'imaginais qu'elle disait son admiration. Nous mettions mon couvert ensemble, dans la salle à manger, puis elle restait immobile, me regardant déjeuner. Parfois elle murmurait « oui Monsieur », « merci Monsieur », les seuls mots de français qu'elle sût par cœur. Elle ne cessait de chercher ce qui pouvait m'être agréable, elle pressentait ce qui allait me manquer, le sel, le poivre, elle devenait anxieuse, mais elle n'osait prendre d'initiative. Je m'appliquais à prévenir chacun de ses gestes, sans la froisser, elle ne bougeait pas mais elle s'agitait du regard, elle veillait sur moi par des attentions qu'elle retenait, elle ne cessait de me servir dans sa tête, et moi j'étais content qu'elle parût contente, je souriais pour qu'elle fût heureuse, elle souriait parce que je souriais. Dolorès ne me rendait aucun service, au sens ordinaire. Je l'avais priée de ne jamais répondre au téléphone, je m'étais résigné à ouvrir moi-même la porte si ma secrétaire n'était pas là. Le dimanche après-midi, je prenais l'aspirateur et je faisais un grand ménage, recherchant toutes les poussières que Dolorès avait conservées durant la semaine. Je les ramassais en cachette. Tous ces travaux ne m'ennuyaient pas, ils ajoutaient un peu aux fatigues de mon métier, parfois j'étais gêné quand j'ouvrais la porte à mes clients, j'inventais une histoire, ma femme de chambre était à l'hôpital, mais ce n'étaient là que de petits inconvénients, l'essentiel était que Dolorès me parût contente. Quand je restais, après dîner, à travailler dans mon bureau, je me levais toutes les demi-heures pour aller la visiter à la cuisine, car Dolorès ne regagnait plus sa chambre avant que je fusse couché. Quand je franchissais la porte de la cuisine, elle se levait, elle s'appuyait au frigidaire, toujours enfermée dans la même robe noire. Parfois elle paraissait très vieille, parfois, quand la nuit tombait et que les lampes n'étaient pas encore allumées, elle semblait presque une jeune fille, le regard si clair. Nous n'avions rien à nous dire, et d'ailleurs nous ne pouvions échanger trois mots. Mais il me semble que nous étions bien ensemble.

Pour être juste, Dolorès fit peu à peu quelques progrès, ou me parut en faire. Je lui appris à préparer deux ou trois plats presque convenables. A force de s'habituer aux lieux et aux choses, elle cassa moins. Je lui enseignai, le plus gentiment que je pus, à jeter les restes, ceux qui étaient certainement hors d'usage, ceux aussi qui commençaient à sentir trop mauvais. A chaque moment elle cherchait à me faire plaisir, elle inventait des attention nouvelles, un verre d'eau le soir sur ma table de nuit, et parfois, dans mon bureau, de petits bouquets de fleurs venus mystérieusement. J'appris quelques mots d'espagnol pour mieux la remercier. Elle me parut joyeuse.

Vint l'hiver, qui fut très froid. Sa chambre au sixième était mal chauffée, et j'obtins de Dolorès qu'elle dormît dans la lingerie, juste à côté de la cuisine. Elle descendit sa valise qui enfermait tout son patrimoine, elle s'installa près de moi, et je fus rassuré. La nuit, dans mes heures d'insomnie, il m'arrivait de me lever, d'aller écouter son souffle derrière la porte. Dolorès dormait bien. Je lui enseignai à répondre au téléphone après avoir compté trente sonneries : elle serait sûre alors que c'était moi qui appelais. Je pus ainsi entendre sa voix dans la journée. Je demandais : « Ça va, Dolorès ? » Elle répondait : « Oui Monsieur. » Nous répétions ces mots, les seuls, plusieurs fois, je raccrochais, j'étais content, j'imaginais qu'elle l'était aussi. Certains jours, je l'appelais ainsi à cinq ou six reprises.

Les amis qui venaient se moquaient de moi. Ils m'appelaient « la bonne de Dolorès », et c'était vrai que j'étais obligé de faire effort pour ne pas l'aider à tout moment. Je me levais pour aller chercher les plats, je changeais les couverts, je desservais la table, mes amis s'y mettaient aussi. « A quoi te sert-elle ? » me demandaient-ils, et sans doute avaient-ils raison. Dolorès ne savait plus ce qu'elle devait faire, ce qu'elle pouvait faire, elle guettait mes regards, mes moindres gestes. Je savais, moi, qu'elle ne pensait qu'à me faire plaisir.

Aurais-je dû lui poser des questions sur son passé ? L'emmener un soir dîner au restaurant ? Lui faire des cadeaux pour lui dire ma sympathie ? Je n'étais pas capable de rien changer à notre vie. J'avais pour elle les égards d'un maître, elle avait pour moi les attentions d'une servante. Nous parvenions, dans ce monde, à glisser l'un vers l'autre, sans jamais nous froisser, mille pensées tues, mille gestes retenus, nous étions à tout moment disponibles l'un à l'autre, afin que je fusse un maître comblé, afin qu'elle fût une servante aimée.

Le printemps ne fit que me rendre Dolorès plus nécessaire. Je m'aperçus que j'écourtais mes rares vacances pour la revoir plus vite, que je sortais moins le soir, que je rentrais brusquement à la maison, dans la journée, à n'importe quelle heure, pour surprendre son sourire, l'entendre me dire « oui, Monsieur », retrouver son allure fragile, ses yeux baissés. A partir du mois de juin, je pris l'habitude de dîner à la cuisine, et je lui demandais de dîner dans le même temps. Je prenais mon repas assis devant la table, elle prenait le sien debout, appuyée au buffet. Nous nous servions l'un l'autre. Je lui parlais de plus en plus, elle ne me comprenait pas, mais elle souriait quand mes histoires étaient drôles, les larmes lui venaient aux yeux si je prenais un ton triste. Nous faisions durer le temps. « Ça va, Dolorès ? — Oui Monsieur. » Nous avions peur de nous quitter.

C'est au début de juillet qu'elle fut malade, vite très malade. Je la fis hospitaliser dans le service d'un de mes amis chirurgiens. Il m'annonça en plaisantant la terrible vérité. « Tu peux chercher une autre bonne. Elle se meurt d'un cancer du foie. » Il crut bon d'ajouter : « Elle ne profitera pas de ses congés payés. »

Les premiers jours, je pris des précautions pour expliquer tous mes coups de téléphone à l'hôpital, et mes deux visites quotidiennes dans la chambre particulière que je lui avais obtenue. Ce n'était pas vraiment ma bonne, plutôt une cousine espagnole, lointaine, que j'hébergeais et qui me rendait des services. Quand son état empira, j'oubliai tous ces mensonges. Je ne connaissais à Dolorès aucun parent, aucun ami. Je pouvais rester auprès d'elle sans être ridicule. Je m'installai donc dans un hôtel proche de l'hôpital, ce qui me permit de passer avec elle toutes les heures autorisées. Je cessai à peu près de travailler, mais c'était le temps des vacances. Je restais debout à lui tenir la main. Quand elle en avait la force, elle me regardait, elle souriait, avec ce regard tendre, désarmé, ce sourire d'ange, je lui disais « Dolorès, ça va ? », je lui promettais qu'elle serait vite guérie, elle me répondait « Monsieur... Monsieur... », elle avait tant maigri qu'elle semblait presque centenaire.

J'étais au chevet de Dolorès, le 18 août, quand l'infirmière d'étage demanda à me voir. Je la rejoignis dans le couloir. Elle m'expliqua qu'elle comprenait l'espagnol et que, la veille, Dolorès lui avait parlé, difficilement, me dit-elle, très difficilement, « elle a bien fait de me parler hier, précisa-t-elle, car aujourd'hui elle ne le pourrait plus ». Dolorès lui avait expliqué qu'elle avait eu un enfant, le jour, ou presque, de ses dix-huit ans, d'un homme qu'elle connaissait à peine, qu'elle avait été chassée par sa famille, qu'elle avait élevé son garçon, son Antonio chéri, pendant sept ans, dans un village près de Barcelone, et puis qu'il était mort en quelques jours. Elle l'avait enterré là-bas et elle était partie pour Madrid. Vingt ans elle avait travaillé dans une fabrique de chaussures, elle avait été congédiée, elle avait alors quitté l'Espagne pour chercher, en France, un emploi. Tout l'argent qu'elle mettait de côté, elle l'employait à envoyer des fleurs sur la tombe de son Antonio. Elle fleurissait la tombe, tous les mois, grâce aux services d'Interflora. Elle ne pouvait aller là-bas qu'une fois par an, deux fois si Dieu le permettait, mais elle voulait qu'Antonio fût entouré des plus belles fleurs. « Ce qu'elle eût souhaité vous demander », me dit l'infirmière, « c'est que vous ayez la bonté de vous occuper de la tombe, à sa place ». L'infirmière me tendit un papier, « elle m'a dicté l'adresse ». Elle ajouta « elle m'a dit aussi que, de là-haut, elle veillerait sur Antonio et sur vous ».

Elle commenta « c'est une histoire étrange ». Je demandai si Dolorès voulait être enterrée près de son fils. « Elle ne m'a pas parlé de cela », me répondit-elle. « Interrogez-la vous-même... si c'est encore possible... »

Je revins à la chambre de Dolorès. Plus de dix fois je hochai la tête, lentement, pour qu'elle sût que l'infirmière m'avait parlé et que je remplirais ma mission. Elle parut comprendre, elle essaya de me sourire, je m'enhardis à l'embrasser sur le front. Je répétai « Dolorès... Dolorès... ». Je ne crois pas qu'elle m'ait entendu.

Je fus seul à son enterrement. Je fis transférer son corps dans la tombe d'Antonio. C'est, entre les cyprès, une grande dalle, de marbre noir, couverte d'objets pieux cachés sous les fleurs. Pendant quelques années, j'y suis retourné deux fois par an, en juillet et en décembre, comme elle eût aimé le faire. Maintenant je n'y vais plus qu'en juillet. J'écarte quelques bouquets. Je m'assieds sur la tombe. Je murmure « ça va, Dolorès ? » Elle est adossée au frigidaire, le regard baissé sur ses chaussures noires, elle chuchote « oui Monsieur ». Nous restons ensemble à nous taire.

L'AMOUR À MORT

J'étais avocat depuis moins de deux ans quand j'appris, un vendredi matin, que j'étais commis d'office pour assurer la défense d'Auguste Velours. Il était inculpé d'avoir assassiné sa femme. « Je l'entendrai lundi », me dit le juge d'instruction en signant mon permis de communiquer. Le juge daigna lever les yeux sur moi. Ma robe d'avocat trop fraîche, mon regard timide, mon allure empêtrée, tout lui signifiait que j'étais un débutant. Il crut gentil de m'avertir, « c'est une affaire horrible, Maître, je dis bien horrible, comme vous n'en avez jamais vu ». Il se doutait que je n'en avais vu aucune, mais il feignait de me prendre au sérieux. Je remerciai, je sollicitai l'honneur de consulter le dossier, je m'excusai. Le juge m'accorda un sourire. Comment l'Ordre des avocats pouvait-il confier de telles affaires à des jeunes gens sans expérience ? D'un autre côté, et cela le rassurait, cet avocat ne le dérangerait pas. « A lundi, mon cher Maître. » Je sortis en m'inclinant. Je serais présent, lundi à 14 heures, aux côtés d'Auguste Velours, la Justice pouvait me faire confiance.

Dans le parloir de la prison, j'eus le temps, attendant mon détenu, de me faire une contenance. Je m'assis, les jambes croisées, je posai le dossier devant moi, ou plutôt deux dossiers l'un sur l'autre, car celui d'Auguste Velours était encore trop mince. Je sortis mes lunettes de leur étui, je n'en avais nul besoin mais elles me faciliteraient les gestes, elles me prêteraient de l'autorité, je fis semblant de lire, sans quitter la porte des yeux, guettant Auguste Velours. Quand il parut, je me soulevai, m'appuyant sur les coudes, juste comme il convenait pour dire que je respectais les prisonniers, pas davantage, j'étais avocat, auxiliaire de justice, commis d'office, je prêtais mon assistance bénévolement, je n'étais pas un ami. Auguste Velours était debout devant moi, immense, moulé dans son jean, je dus lever la tête pour apercevoir son visage, un nez très long, des yeux mi-clos, un visage pris dans une forêt de cheveux blonds et bouclés, Auguste Velours semblait absent ou ahuri. Il me dit « merci, Maître » d'une voix fluette qui ne lui ressemblait pas du tout, une voix de petit enfant. Du ton d'un grand médecin, je le priai de s'asseoir. Il se plaça en face de moi, il agita les jambes, sous la table qui nous séparait, deux ou trois fois, il ne savait visiblement qu'en faire, il chercha en vain à les passer sous sa chaise. Il se résolut à les étaler.

L'histoire qu'Auguste Velours me raconta fut, en gros, celle qu'il décrivit au juge d'instruction le lundi suivant. Mais il me dit mieux, à moi, ce qu'il avait éprouvé. Je le laissai parler, prenant des notes, je l'encourageai de la tête, il monologua plus de deux heures, tandis qu'avec le juge, forcément, ce fut plus difficile. Le juge interrompait l'inculpé afin de pouvoir résumer ses déclarations, les dicter à la greffière. Le juge comprenait bien, mais il dictait mal. D'autre part, il n'arrêtait pas de poser des questions. C'était son devoir de juge. Il épiait la moindre incohérence, il s'attachait à tous les détails, tandis que moi je laissais filer le récit d'Auguste Velours, il me suffisait qu'il parlât, qu'il dît n'importe quoi, que je pusse prendre des notes, ou sembler ou prendre. Mais le vendredi, puis le lundi, Auguste Velours fit à peu près le même récit à son avocat et à son juge. Mes trente pages de notes et les quinze pages d'interrogatoire se répètent ou se recoupent, et voici en gros ce qu'il nous a dit.

Auguste Velours était plombier de son état, installé rue de Châteaudun, plombier de père en fils depuis soixante ans, il n'avait pas connu sa mère, morte des suites de l'accouchement, mais le père plombier avait consacré à son fils, son seul enfant, tout son travail et son temps. Il lui avait enseigné la plomberie, la passion du métier, le respect des clients. Auguste Velours avait tôt compris que la vie serait difficile, triste aussi, que le mieux était de bien se conduire, ce qu'il avait fait. Ce préambule nous avait plu, au juge et à moi. Les renseignements confirmaient sur ce point le discours de l'inculpé, et le dossier semblait concéder à Auguste Velours un préjugé favorable.

Jusqu'à l'âge de vingt-deux ans, Auguste Velours n'avait rencontré aucune femme. Il n'en avait ni le temps ni le goût. Des femmes il ne connaissait que les photos de sa mère. Le père assurait qu'il fallait se méfier d'elles, jamais une femme n'entrait dans le logement, pas même une cousine, pas même une femme de ménage, le père passait lui-même l'aspirateur, il lavait le linge, il faisait la vaisselle. Quand Auguste Velours eut fêté ses dix-sept ans, le père lui transmit les corvées domestiques, l'essentiel restant de n'avoir jamais besoin des femmes. Sur ce point le père était formel, il s'appuyait sur plusieurs anecdotes, le malheur se faufilait tôt ou tard entre leurs jambes. Je ne fis aucun commentaire le vendredi. Le lundi, le juge n'en fit pas davantage. Nous comprenions Auguste Velours, et, jusque-là, nous pouvions l'excuser.

Le père était mort chez un ami, en quelques secondes, un soir pendant le dîner. Un mois plus tard, Auguste Velours avait célébré seul son anniversaire, ses vingt-deux ans, avec un gâteau, deux bougies, et la photo du père posée devant lui. Puis il était allé marcher dans la rue pour tout oublier, son chagrin, cet anniversaire raté, et sa peur, car il avait peur de la vie qui lui tombait dessus, peur de la boutique et de ses difficultés. Plus de père, deux ou trois copains, mais Auguste Velours n'avait rien à leur dire, juste un peu de temps à prendre ensemble, et de vin, car il buvait comme le père, rien que du vin rouge, une demi-bouteille à chaque repas.

Dans la nuit, dans la rue, il rencontra Emma. Ce qu'Auguste Velours n'osa pas dire au juge, c'est qu'elle faisait sans doute la putain. Étrangement, le juge ne posa pas la question. Emma lui parut très grande, elle avait les jupes courtes et les cheveux longs, il la regarda avec étonnement, cela il l'avoua au juge, il fut surpris de la regarder car il ne regardait jamais une femme. Est-ce parce qu'il la regarda, est-ce parce qu'elle avait besoin d'un homme, toujours est-il qu'elle se jeta sur lui, et qu'ils roulèrent sur le trottoir, l'un sous l'autre, l'un sur l'autre, les jambes et les souffles mêlés.

Ce récit m'avait satisfait, mais le juge parut étonné de cette scène, et il demanda à Auguste Velours de mieux la décrire. L'inculpé en fut incapable et choisit de rester muet. Il m'avait dit, à moi, qu'il n'avait rien compris, sur le moment, qu'ils s'étaient retrouvés tous les deux par terre, les jambes nouées, qu'elle criait « mon amour », « mon amour », puis qu'il avait répété ces mots sans savoir pourquoi. Le juge lui demanda s'il y avait des témoins, et s'il ne s'était pas senti gêné durant cette scène ridicule. Auguste Velours finit par déclarer qu'Emma et lui étaient restés couchés sur le trottoir peut-être dix minutes, qu'il n'avait rien fait, c'était vrai, pour échapper à son amie, mais qu'étendue sur lui elle l'immobilisait, et que, sans doute, elle l'eût empêché de se sauver. Il m'avait raconté le vendredi qu'il avait été, dès ce moment, amoureux, amoureux fou. Au juge il expliqua, le lundi, avec des mots que ce dernier traduisit dans le langage de la

Justice, qu'il avait découvert dans ce corps à corps ses premières émotions sexuelles. Le juge observa que cela servirait peut-être à comprendre la suite.

Le juge fit circuler quelques photos d'Emma, retrouvées dans la chambre d'Auguste Velours. Emma sur un trottoir, en jean, les jambes écartées, le torse balancé en arrière, les cheveux sur les fesses, telle que, sans doute, elle était apparue à l'inculpé le premier jour. Emma nue, couchée sur le lit, dans plusieurs positions que le juge qualifia d'érotiques. Emma vue de dos, toujours nue, collée au mur, les reins cambrés. « Regardez », dit le juge, passant les photos à sa greffière, « elle a des hanches impressionnantes ». Il corrigea « elle avait ». Ils se passèrent les photos deux ou trois fois, ils ne me les passèrent pas à moi, mais j'étais censé les avoir vues en consultant le dossier, et ce n'était pas mon problème, c'était le problème du juge d'aller au fond de l'affaire. Le juge concéda à mi-voix : « Tout pour rendre un homme fou. » Cette phrase me parut importante, essentielle, j'hésitai à la faire inscrire au procès-verbal, je renonçai, j'eus peur de déplaire au juge, de provoquer un incident. C'est sûr qu'Emma paraissait très belle, si longue, si dure, elle était faite pour monter aux arbres, pour courir dans les forêts comme une amazone, rien de commun avec Auguste Velours, un homme trop sage, une femme trop folle. Le juge, la greffière pensaient sans doute, comme moi, que ces deux-là n'auraient pas dû se rencontrer. Et si Auguste Velours n'avait pas aperçu Emma devant cette porte, cette nuit-là, pas de meurtre, pas de procès, pas d'instruction. « Tout est hasard », constata le juge, visiblement il aimait philosopher entre deux moments de tension judiciaire. Je répétai en écho « tout est hasard ».

Auguste Velours m'avait raconté qu'Emma l'avait emmené chez elle, dans une chambre d'hôtel où ils avaient passé la nuit. Je ne sais pourquoi il dit au juge qu'elle lui avait demandé de monter un moment dans son hôtel, qu'elle avait fait en hâte sa valise, puis qu'il l'avait conduite chez lui. A trois heures du matin, au plus tard à quatre heures, Auguste Velours et Emma étaient de nouveau couchés l'un sur l'autre, dans le petit logement de l'inculpé, situé juste au-dessus de sa boutique. « Là où venait de mourir votre père », remarqua sévèrement le juge. Auguste Velours objecta que son père était mort chez un ami, mais il dut avouer qu'ils avaient passé ce qu'il restait de la nuit à s'aimer dans la chambre du père défunt, la seule pièce qui fût meublée d'un grand lit. « Pourquoi aviez-vous besoin d'un grand lit ? » interrogea le juge. La question me parut dangereuse et Auguste Velours donna, en réponse, beaucoup trop de détails. C'est vrai qu'Emma exigeait un grand lit, elle voulait de l'espace, il fallait pouvoir rouler l'un sur l'autre, se nouer, se dénouer, se lever, se provoquer, tomber ensemble, rouler à nouveau, le juge semblait effrayé, aucun lit n'était assez grand pour cette femme, aucune forêt assez profonde. « Combien de temps avez-vous fait l'amour... comme vous dites ? » interrogea le juge. « Jusqu'à l'aube », répondit Auguste Velours. Il semblait fier de lui, il répéta « jusqu'à l'aube... jusqu'à l'aube... ». Le juge dut l'interrompre sèchement. « J'ai compris. » Ils firent donc l'amour jusqu'à l'aube, et encore tout le jour qui suivit, et les autres, car Auguste Velours ne travailla ni ce jour ni de toute la semaine. « Et elle ? » interrogea le juge, « elle n'a pas travaillé non plus, bien sûr ? ». L'inculpé objecta qu'Emma n'avait pas de travail. « Je comprends », soupira le juge. Il pensait sans doute à la vie de ces femmes qui traînent dans la rue, il voyait des tas d'images, je regardais Emma, debout sur le lit, les jambes écartées, serrées dans des bottes, ses jambes et ses reins étaient striés de dentelle noire, elle tenait un fouet à la main, elle défiait Auguste Velours... Oui, il était probable qu'elle l'avait violé. En quelques heures, Emma avait fait d'un plombier honnête une bête sauvage. L'affaire n'était peut-être pas si mauvaise. Je fis au juge un grand sourire, il ne me répondit pas.

A la prison, quand il me parlait, Auguste Velours ne cessait d'agiter les jambes. Il parlait de plus en plus vite, et le mouvement de ses jambes s'accélérait aussi. Tantôt il regardait le sol, tantôt il levait les yeux vers le petit rectangle de ciel qu'enfermait la fenêtre du parloir. Sa voix, presque inaudible, ne trahissait pas d'émotion. Simplement, il s'arrêtait quand il avait prononcé le nom d'Emma, il répétait « Emma », « Emma », d'une autre voix, comme s'il s'adressait un moment à elle, puis il reprenait lentement son récit. Devant le juge, Auguste Velours avait sollicité de rester debout, et le juge lui avait accordé cette faveur. L'inculpé parlait toujours au même rythme, de sa voix minuscule qui semblait mourir sur le bureau du magistrat, mais il évitait manifestement le nom d'Emma. Il répétait les expressions du juge, il disait « mon amie », « ma compagne », ou encore « la victime ». Cependant, une ou deux fois, il dit « Emma », puis il resta muet. Le juge agita ses papiers, la greffière toussa pour rompre le silence, nous étions tous trois gênés que le meurtrier s'évadât ainsi avec sa victime.

Le juge consacra plus d'une heure à explorer avec précision tout le temps qui avait séparé le meurtre de sa découverte. C'est dans la nuit du 20 mai que les policiers avaient constaté le crime. Ils avaient sonné à la porte d'Auguste Velours vers deux heures du matin, sonné plusieurs fois sans obtenir de réponse, ils avaient longuement écouté, derrière la porte, avant de la forcer, ils avaient trouvé l'assassin dans le lit, il dormait ou il faisait semblant de dormir, il dormait enlacé au cadavre de sa victime. Quand les policiers éclairèrent le lit de leurs lampes de poche, ils virent les deux têtes au-dessus du drap, la tête reposée de l'assassin, qui gardait les yeux fermés, et la tête de sa victime, le visage à peu près détruit par le pourrissement. Auguste Velours avait la bouche serrée contre les dents de la morte. L'odeur était insupportable. Les policiers avaient soulevé le drap, ils avaient observé le corps du meurtrier entièrement nu, et le squelette de sa victime qui n'était plus couvert que par endroits de morceaux de chair en décomposition, Auguste Velours avait les deux bras autour d'Emma, l'un la tenait à la taille, l'autre aux épaules, il s'éveilla lentement, il ne parut guère surpris, il dit seulement aux policiers « vous allez la réveiller », il serra Emma contre lui, comme pour la protéger.

Les voisins avaient été alertés par l'odeur. Certes, le comportement d'Auguste Velours les étonnait depuis plusieurs jours. Il ne levait plus le rideau de la boutique, il ne vivait plus qu'enfermé dans son logement, parfois on le rencontrait dans l'escalier, il partait faire ses courses ou il en revenait, il rapportait de gros sacs, il était plus souriant que d'habitude, « tout va très bien », précisait-il avant qu'on l'eût salué, il souhaitait à chacun une bonne journée, il semblait très pressé de rentrer chez lui, mais il avait toujours été pressé, non il n'était pas à proprement parler bizarre, ni même inquiet. Tout le monde savait qu'une femme était montée dans sa chambre. On les avait même entendus faire l'amour. Deux ou trois fois les voisins avaient tapé contre le mur, mais c'était sa première femme, ce chahut s'excusait, ensuite on se calme, bien sûr ils s'expliquaient mal que le plombier eût fermé sa boutique, c'était l'amour, ou la fatigue, peut-être la déprime, non il n'y avait que l'odeur qui les eût vraiment alertés. Ils avaient cru d'abord que c'était un problème de vidange, on en avait parlé à Auguste Velours, un plombier s'occupe soi-même de ses vidanges, il avait promis de le faire, l'odeur avait empiré, une autre odeur, insoutenable, qui passait sous les portes, ils avaient fini par prévenir les pompiers, qui avaient averti la police.

Combien de temps cela avait-il duré ? Peut-être un mois, peut-être deux ?

Les calculs du juge étaient implacables. Auguste Velours avait vécu quatre jours avec sa victime vivante, puis quarante-trois jours avec sa victime morte. Mais l'inculpé donnait d'autres chiffres. Plus de quinze jours, Emma et lui avaient fait l'amour, ils avaient vécu noués, incapables de se séparer, ou juste le temps de faire les courses et la cuisine, ils prenaient leurs repas par terre pour rester mêlés tout en mangeant. « Ce n'est pas possible », objecta le juge, mais l'inculpé confirma qu'ils n'avaient pas pris un seul repas autrement, la greffière paraissait effarée, Auguste Velours et Emma ne se dénouaient pas de toute la nuit. Et puis il y avait eu le drame. « Nous instruirons le meurtre séparément », commanda le juge. Ce qui l'intéressait, pour l'instant, c'était le laps de temps qui avait suivi le crime. Auguste Velours consentait avoir vécu avec Emma plus de quinze jours encore, elle semblait morte parce qu'elle ne respirait plus, ses jambes et ses bras partaient dans tous les sens, il devait la porter dans le lit, l'asseoir à table, la lier au dossier de la chaise avec des foulards pour qu'elle ne s'effondrât pas, mais elle n'était qu'apparemment morte, elle le regardait fixement, et la nuit, quand il lui faisait l'amour, elle le serrait de son mieux. Cela aurait pu durer des mois, des années, mais les policiers étaient venus, les policiers avaient osé la réveiller, ils l'avaient emmenée, ils l'avaient cachée, mais il la retrouverait forcément, car elle et lui ne pouvaient pas se perdre. « J'affirme que j'ai vécu avec le cadavre de ma victime quinze jours exactement. » Le juge dicta cette phrase avec application, mais il gronda l'inculpé : « Vous ne dites pas la vérité. Ces quinze jours ont duré quarante-trois jours. » « D'ailleurs... », finit-il par concéder, « peu importe... »

Le juge exigea mille détails, beaucoup plus qu'Auguste Velours ne m'en avait fourni. Il m'avait suffi, à moi, de savoir qu'après le meurtre ils avaient continué de vivre ensemble, de prendre leurs repas ensemble, de dormir ensemble, et qu'il n'avait cessé de l'aimer davantage. Mais son travail obligeait le magistrat à se montrer méticuleux. Il devait prendre intérêt à chaque instant de cette vie à deux. Au petit matin, l'inculpé abandonnait un moment sa victime. Il la laissait au lit. Il allait chercher les provisions pour la journée. Sitôt revenu, il faisait le ménage en parlant à Emma, quoiqu'elle parût dormir. Puis il allait se recoucher un moment avec elle, pour la réchauffer, dit-il au juge. Il se levait, il la prenait dans ses bras, il évitait qu'elle heurtât aucun meuble, aucun objet, car des morceaux d'elle se brisaient au moindre choc. Il l'installait, à table, en face de lui. Il la nouait au dossier de la chaise, de plusieurs nœuds, parfois il laissait la tête retomber en arrière, les bras pendant vers le sol, mais il préférait qu'Emma se couchât sur la table. Il repoussait alors son couvert, elle semblait s'être assoupie en faisant la fête. Il lui soulevait doucement la tête, il lui donnait à manger, la dérangeant le moins possible, des gâteaux surtout, elle adorait les gâteaux, il lui mettait la cuillère entre les dents, elle ne les mangeait pas vraiment, elle les goûtait à peine, parfois sa tête retombait brusquement, ce gâteau ne lui plaisait pas, mais quand elle l'appréciait elle semblait heureuse. L'après-midi, ils jouaient au poker, le seul jeu qu'elle connût. Ils étaient tous deux étalés par terre, sur le ventre. Il lui tenait la tête au-dessus de son jeu. Elle choisissait, il devinait la carte qu'elle avait choisie, elle jouait, elle gagnait toujours.

Après quoi, il la portait dans son lit, et il lui faisait la lecture, des heures durant. Il lui lisait des romans d'aventures, parfois il s'arrêtait pour la regarder, c'est vrai que peu à peu son visage avait changé, qu'il se couvrait de taches, qu'elle faisait des grimaces, qu'elle ressemblait par moments à un chat. Alors il éteignait la lumière, et ils écoutaient ensemble de la musique. Pour elle il avait acheté des tas de cassettes, elle adorait le jazz, lui aussi. Il avait l'impression de l'entendre respirer, elle voulait danser, lui aussi.

Le dîner, ils le prenaient toujours au lit. Il lui préparait des plats simples et qu'elle aimait. Elle les humait, elle les goûtait à peine, elle était pressée de faire l'amour. Toute la nuit ils la passaient blottis l'un contre l'autre. Il réchauffait le corps glacé de sa compagne, il la caressait à n'en plus finir, et il faisait l'amour à son Emma chérie. « Ce n'est pas possible, on ne peut pas faire l'amour, comme vous dites, à un cadavre », objecta le juge, mais l'inculpé parut ne pas entendre. Il se couchait sur elle, il attendait, parfois des heures, le moment de venir en elle, ou bien il lui tenait la bouche doucement ouverte, il passait et repassait sur le visage de son amour. Tandis qu'il décrivait au juge leurs nuits, Auguste Velours s'échauffait, sa voix restait aussi fluette, mais elle était secouée de tremblements, « nous avons fait l'amour, Monsieur le juge, toute la nuit, toutes les nuits ». « Je vous crois », interrompit le juge. « Monsieur le juge, elle était heureuse, follement heureuse, et maintenant... maintenant... », pour la première fois je le vis pleurer, des larmes coulèrent de ses yeux perdus, sur sa chemise, sur son jean, et même par terre, là, devant le bureau du juge. Le juge parut contrarié, d'ordinaire on ne pleurait pas dans son cabinet, il jeta un regard vers moi, un avocat normal serait intervenu, un avocat expérimenté aurait empêché son client de pleurer, je ne savais que faire, le juge m'en voulait sans doute. « Ce n'est pas le moment de pleurer, dit-il à Auguste Velours, rien ne vaut de se mettre dans un état pareil. » L'inculpé se passa le bras sur les yeux, non ce n'était pas le moment de pleurer. « Reprenez votre récit », lui dit le juge, mais ce moment d'émotion avait laissé des traces. Le juge semblait maintenant pressé d'en finir.

Il avait gardé le crime pour la dernière partie de son interrogatoire. C'était, bien sûr, l'essentiel, mais, n'en parlant qu'après tout le reste, Auguste Velours avait des chances de s'embarrasser, de se contredire, et, pourquoi pas, de passer aux aveux. Cette scène, il me l'avait racontée, le vendredi, j'avais alors osé plusieurs questions, car du meurtre je devais connaître le moindre détail. De jour en jour, ils avaient fait l'amour plus fort, plus violemment. Auguste Velours apprenait tout d'Emma, il la suivait dans tous ses rêves, elle rêvait de corps à corps sauvages, sur la plage, ou dans les feuilles mortes, elle exigeait qu'ils se frappent, qu'ils se mordent, ils roulaient d'un bout à l'autre de la chambre en se portant des coups, elle avait tressé une serviette en forme de fouet pour qu'ils se flagellent tour à tour, parfois ils s'armaient l'un et l'autre d'un couteau, ils s'appliquaient à s'égratigner, en criant, en luttant, elle disait que c'était cela l'amour, que les autres s'aimaient comme des enfants de chœur, qu'ils remuaient bêtement l'un dans l'autre, sans un geste imprévu, sans un risque, elle savait d'instinct ce qu'était l'amour, l'amour vrai, l'amour à mort, et, ce soir-là, elle lui avait jeté un défi, à 22 h 30 exactement, ils s'aimeraient comme jamais personne, comme des fauves, comme des fous. Cela avait commencé sur le lit, debout, elle avait exigé qu'ils se regardent longtemps avant de s'empoigner, elle haletait, les cuisses ouvertes, les seins bandés, il n'en pouvait plus, elle non plus, ils ruisselaient tous les deux, alors ils s'étaient jetés l'un sur l'autre, ils avaient roulé au sol, elle le serrait à la gorge, il la serrait, jamais leurs jambes n'avaient été si fort mêlées, ils n'étaient plus que deux gorges serrées, et des bras furieux, elle serrait de partout, sauvagement, il l'étranglait, elle hurlait « mon amour », il devait l'empêcher de hurler, elle n'était plus capable que de râler, les râles de leur amour, ils étaient collés par la sueur, et par les ventres, elle avait cessé peu à peu de serrer, et lui il avait serré plus fort encore, pour l'obliger à serrer à nouveau, pour redonner force à ses mains, à son ventre, il serra à en mourir, deux ou trois fois elle fut secouée d'un terrible tremblement, il l'immobilisa de ses jambes, jamais ils n'avaient été si violents, jamais il ne l'avait tant aimée, et soudain elle fut molle, presque une pieuvre, ses bras pendaient, ses jambes étaient devenues comme des cordes, les yeux s'étaient retournés, il frotta ses dents contre les dents de son Emma mais elle ne pensait plus à mordre, elle ne se défendait plus, il la gifla, sa tête tomba, retomba, il comprit qu'elle était comme morte, morte sous lui, nue, trempée, adorable, il la prit dans ses bras, il la porta jusqu'au lit sans qu'elle s'aperçût de rien, il la coucha, il la couvrit de baisers, Emma, mon amour, Emma, mon Emma, il savait qu'elle ne répondrait plus, il se coucha plus bas qu'elle, la tête entre ses cuisses, il pourrait l'embrasser la nuit entière, Emma dormait, lui il ne dormirait pas, il lui ferait l'amour la vie entière, commençait leur dernière nuit, leur nuit qui ne finirait pas.

Tout cela il essayait de le décrire au juge,

mais le juge l'interrompait, le bousculait par ses questions, le juge avait son idée. « La vérité est qu'elle s'est refusée à vous. Vous avez voulu la contraindre. Elle s'est défendue. Vous l'avez étranglée. » J'intervins timidement, je ne savais trop si les avocats pouvaient se mêler de l'interrogatoire, j'objectai que le récit de l'inculpé et le point de vue du juge n'étaient pas si éloignés, il y avait eu une grande scène de violence prise dans un fol amour. Le juge me rappela en termes courtois que mon sentiment personnel ne pouvait peser sur son instruction et qu'il n'y avait aucune similitude entre un accident amoureux, ce qui constituait le système de défense de l'inculpé, son insoutenable système, et un viol, un vrai viol, un viol banal, car il ne fallait pas imaginer que les violeurs choisissaient, au hasard, dans la rue, ou dans un ascenseur, des victimes inconnues, non, les violeurs étaient des violeurs, ils violaient leurs épouses, leurs mères, leurs sœurs, leurs maîtresses, le juge connaissait bien les affaires de viol, voilà vingt ans qu'il faisait ce métier et des affaires de viol il en avait instruit des dizaines, les violeurs pouvaient être amoureux, sincères, prévenants, mais sitôt qu'une femme leur résistait, seulement d'un mot ou d'un regard, la fureur criminelle montait en eux, alors le violeur frappait, le violeur forçait, le violeur pénétrait — le juge répéta trois fois ce mot pour me prouver qu'il n'en avait pas peur — et le violeur tuait. Il tuait parfois, pas toujours, quand il tuait c'était le plus souvent en étranglant, « le violeur est un étrangleur », assura le juge. Il pressait maintenant l'inculpé de questions : « Dites-moi la vérité... Elle s'est refusée à vous ?... Vous voyez bien que votre version est incroyable... Vous l'avez étranglée sans vous en apercevoir ? Vous l'avez étranglée pour son plaisir ? » J'aurais voulu qu'Auguste Velours recommençât son récit, qu'il retrouvât les expressions dont il avait usé, le vendredi, au parloir, « elle serrait férocement, moi aussi. Plus elle serrait, plus je l'aimais », mais il n'avait plus la force de rien dire, le juge maintenant dictait à la greffière ce récit invraisemblable, il commentait, pour la greffière, pour moi : « Il a étranglé sa compagne afin de lui faire plaisir... c'est ce qu'il appelle l'amour... » Une dernière fois, il s'adressa à l'inculpé, presque avec sollicitude : « Monsieur Velours, aucun juré ne croira votre histoire... les jurés sont capables d'aimer, comme vous, comme tout le monde... et ils n'étranglent personne. » Il voulut élever le débat : « Ce que vous me racontez, Monsieur Velours, c'est votre vérité... mais il faut aussi que la vérité soit vraisemblable... » Je hochai la tête pour apprécier ces mots du juge. Auguste Velours parapha le procès-verbal. Plus un geste, plus une larme, il sortit entre deux gendarmes, le juge me fit signe de rester un instant, il voulait visiblement me faire une confidence, la confidence du juge fait plaisir à l'avocat.

« Il ment, me dit le juge, et par surcroît il ment mal. » Le magistrat vit mon air navré, ce n'était pas ma faute si l'inculpé mentait, il corrigea aussitôt : « Maître, les violeurs n'ont aucune relation avec la vérité. » Il continua, encouragé par mon silence déférent : « Le processus est banal, un garçon devient adulte sans avoir eu de relations sexuelles... La première femme qui le séduit le transforme en violeur... » J'approuvai de la tête, le juge parlait avec autorité. « Si elle se refuse, il la tue. » Il feignait de relire le procès-verbal. « C'est cela, continua-t-il, votre client est comme les autres. Les femmes ils les veulent, ils les agressent, ils rêvent qu'elles se refusent, alors ils peuvent les tuer... » Je souris pour faire plaisir au juge, il me sembla que nous devenions un peu complices. « Croyez-moi, Maître, me dit-il gentiment, ce n'est pas plus compliqué que cela... »

Je m'enhardis. Je dis au juge que ce grand amour porté à un cadavre, cette passion pour le corps d'une femme morte, tout cela distinguait l'inculpé des violeurs ordinaires, je m'enhardis jusqu'à lui confier ce que l'interrogatoire ne disait pas, que, tous les jours sans exception, après le meurtre, Auguste Velours avait rapporté des fleurs, en même temps que les provisions, des roses blanches, les fleurs qu'elle aimait, et aussi qu'il continuait à écrire à Emma de sa prison, tous les jours, deux fois par jour, pour lui dire qu'il ne pensait qu'à elle, qu'ils se retrouveraient tôt ou tard, et qu'ils feraient l'amour pendant l'éternité. Le juge me fit remarquer que, si l'inculpé écrivait de telles lettres, elles lui seraient forcément remises, à lui, son juge, à moins que l'inculpé ne les fît sortir de manière irrégulière. Je crus que le juge me regardait d'un air soupçonneux, je consentis que, peut-être, mon client n'écrivait pas vraiment, je n'avais aucun moyen de le savoir, mais j'étais sûr qu'il n'avait pas cessé d'aimer son Emma. « Drôle d'amour », me fit remarquer le juge. Il se leva aimablement pour me conduire à la porte de son cabinet. « Aux assises, me dit-il pour conclure, il prendra vingt ans. » Vit-il mon air effondré ? Il ajouta : « ... à moins qu'il ne soit déclaré fou... je vais commettre deux médecins... sa chance est d'avoir vécu avec un cadavre... ». Le juge regretta ces mots, il corrigea : « Sa chance... je veux dire son habileté. Le meurtre est banal. Mais la vie conjugale avec une morte, ça, c'est exceptionnel, étrange... » Il me serra la main presque chaleureusement, cette seule chance il m'encourageait, bien sûr, à la courir !

Sur le rapport des deux médecins, Auguste Velours fut déclaré dément au sens de l'article 64 du Code pénal. Il échappait aux assises. Ma tâche était achevée. J'allai le voir, à l'hôpital de Villejuif où il était interné. Il ne me parla que de son Emma. Les policiers l'avaient relâchée, me dit-il, elle l'avait rejoint à l'hôpital, mais elle était obligée de se cacher, il était, Dieu merci, seul à la voir, seul à l'admirer. Ils faisaient l'amour toutes les nuits, ils étaient aussi heureux qu'on pouvait l'être. L'an prochain, quand il aurait repris sa boutique, ils auraient un enfant. Auguste Velours regrettait de ne pas me la présenter. Il venait de laisser Emma dans le jardin de l'hôpital, près d'un bassin où elle aimait nager. Il restait des heures, assis au bord de l'eau, à contempler les seins d'Emma, son ventre ondulant entre les poissons rouges, elle se frottait doucement les cuisses avec des feuilles mortes tombées dans l'eau, Emma et lui se préparaient à l'amour. Il me remerciait de tout le mal que je m'étais donné pour qu'ils se retrouvent, et aussi de ma visite. Quand nous nous quittâmes, il me glissa une enveloppe « de la part d'Emma et de la mienne », me dit-il, et il s'éloigna précipitamment, il marchait à grandes enjambées, serré dans son jean, il allait la rejoindre au bord du bassin. J'ouvris l'enveloppe. Elle contenait une dent. Une dent d'Emma ? Une dent d'Auguste Velours ?

Je ne suis jamais revenu.

LA BARQUE

Monsieur Fouille aima beaucoup, lui aussi, quoique autrement. Il était comptable dans une moyenne entreprise, comptable de bonne réputation comme l'entreprise elle-même. Il vint me voir sur la recommandation d'un ami expert. Il avait sollicité un rendez-vous urgent, très urgent, je ne connaissais pas encore l'art de faire attendre et je le reçus un dimanche matin.

L'histoire de Monsieur Fouille n'avait aucun intérêt. Marié depuis vingt-cinq ans, vingt-cinq années d'une union parfaite, me dit-il, sans un nuage, il avait fait la connaissance, le mois précédent, dans son service, d'une jeune stagiaire, une demoiselle intelligente, sensible, douée de toutes les vertus, et belle, si belle, il me sortit une photo pour que je comprisse mieux, une femme merveilleuse comme il n'en existait qu'une. Il était tombé amoureux, elle aussi. Monsieur Fouille aurait voulu épouser sa stagiaire, s'engager à la vie à la mort, elle le désirait comme lui, mais il ne le pouvait pas, il ne pouvait pas divorcer, faire la moindre peine à sa femme, sa pauvre Jeanne, durant vingt-cinq ans ils avaient tout partagé, les joies, et surtout les peines, elle en mourrait, il était sûr qu'elle en mourrait, alors il venait me demander conseil, devait-il partir, non, c'était impossible, partir en restant, mais comment divorcer sans que sa femme le sût, sans qu'elle pleurât, il ne pouvait non plus renoncer à Mademoiselle Prune, c'est ainsi qu'il appelait sa bien-aimée, et je n'osai lui demander si c'était son nom ou son prénom, un jour, quoi qu'il arrive, ils vivraient ensemble, oui Monsieur Fouille sollicitait un conseil, une issue, il posa sur mon bureau quelques billets de banque, je fis semblant de ne pas les voir, il les avança vers moi les yeux baissés, je pris la mine sévère, je ne pouvais rien recevoir de lui car je ne pouvais rien pour lui, de toute manière je ne mêlais pas l'argent aux sentiments, il reprit ses billets en bafouillant des excuses.

Monsieur Fouille était habillé tout de gris. Il portait une petite moustache, grise aussi, il ne cessait de se tordre les mains, peut-être intimidé, il n'avait pas de regard. Je me demandais ce que Mademoiselle Prune pouvait bien lui trouver, je les imaginais tous deux dans un petit hôtel de la rue Montmartre, sur un lit. Monsieur Fouille secouait Mademoiselle Prune, les corps étaient trempées, les oreillers au sol, une furieuse tempête, je faisais semblant de réfléchir, Monsieur Fouille vint à mon aide, « cela doit vous sembler bien banal », j'objectai qu'il n'y avait rien de banal dans son cas, qu'aucune affaire ne ressemblait à une autre, je comprenais bien qu'il était fou d'amour, il m'interrompit, « plus que cela, Maître, plus que cela... on ne peut aimer davantage... », je fus impatienté, je lui dis que sa passion constituait une donnée, mais qu'elle compliquait le problème de son divorce, car c'était bien pour divorcer qu'il venait me consulter.

Je lui posai, en spécialiste, quelques

questions dont je pressentais la réponse. Sa femme n'avait jamais mérité le moindre reproche, non elle n'avait jamais eu aucun amant, ni même regardé un homme, Monsieur Fouille parut étonné que je fisse de telles hypothèses, mais j'avais le devoir de tout envisager, non sa Jeanne n'avait jamais regardé que lui, ils étaient nés la même année, il y avait plus de cinquante ans, à Clermont-Ferrand, dans le même quartier, leurs parents se fréquentaient déjà, ensemble ils étaient venus à Paris, ils s'y étaient installés, ils avaient partagé la vie dure, sa Jeanne n'avait jamais pu travailler car la maison l'occupait à plein temps, la cuisine, la vaisselle, le ménage, le lavage et le repassage, elle faisait tout comme personne, jamais Monsieur Fouille n'était rentré, le soir, sans trouver la table mise, sans qu'elle eût préparé le repas, le meilleur repas qui se pût, elle ne pensait qu'à lui faire plaisir. Non, ils n'avaient pas eu d'enfant, il voulait précéder ma question sur ce point délicat, ils avaient tout essayé, en vain, c'était sa faute à elle, assuraient les médecins, mais il ne pouvait lui en faire reproche, elle avait beaucoup pleuré, tout eût été différent s'ils avaient eu des enfants, un fils au moins, ils auraient changé d'appartement, la maison serait devenue joyeuse, tandis que, les années passant, la tristesse avait envahi leur vie, on ne peut pas dire la tristesse, plutôt une sorte de mélancolie. Ils prenaient toujours leurs vacances dans le même hôtel en Auvergne, ils voyaient les mêmes amis, trois ou quatre, Jeanne et lui étaient plutôt timides, et souvent elle se trouvait fatiguée, très fatiguée. Le soir elle avait mal un peu partout, elle se plaignait du temps, des saisons qui se mélangeaient, plus d'hiver, plus d'été, elle se méfiait de la viande et des légumes qui ne cessaient de perdre en qualité, elle gémissait souvent, mais sans véhémence, gentiment. En deux ans ils avaient perdu leurs quatre parents, ils avaient dû courir de cimetière en cimetière, cela faisait beaucoup de chagrins, de photos qu'elle plaçait sur tous les meubles, beaucoup de larmes qu'elle laissait venir au moment de se coucher, elle passait de plus en plus de temps devant la télévision, et lui à son bureau, il travaillait de plus en plus tard, parfois il retournait au bureau le dimanche, non la vie n'était pas drôle,

Jeanne le disait souvent, mais elle disait aussi que l'important était de s'aimer, de s'aimer jusqu'à la mort, l'important était de vieillir ensemble, sans trop mal se porter. Parfois, dans le lit, elle lui prenait la main, ils s'endormaient ainsi, les mains jointes, il pouvait me jurer que Jeanne était sans reproche, et voici que maintenant il ne pensait qu'à partir, à voyager, à courir dans n'importe quelle rue, il voulait montrer le monde à Mademoiselle Prune, il se surprenait à chanter dans les escaliers, au bureau il guettait le téléphone, chaque sonnerie lui faisait battre le cœur, il ne rêvait que de rejoindre son amie. Jamais ils n'avaient dormi ensemble. Jamais ils n'avaient quitté Paris. Mademoiselle Prune voulait l'épouser, elle voulait des enfants, Mademoiselle Prune adorait la vie, mais que pouvait-il faire, il me suppliait de le conseiller, il ne pouvait ni s'en aller, ni divorcer, ni renoncer à Mademoiselle Prune, ni faire de la peine à sa Jeanne. Parfois, quand il rentrait du travail, il se disait qu'il ne lui restait qu'à mourir.

L'histoire de Monsieur Fouille, je l'avais souvent entendue. Je n'avais plus qu'un problème, c'est qu'il s'en allât vite. En quelques mots, je lui expliquai que son divorce était impossible, puisqu'il ne pouvait articuler contre sa femme aucun grief. Je lui demandai, pour prouver mon intérêt, si d'aventure sa femme lui avait fait des scènes, si elle l'avait injurié en public, mais je savais sa réponse. Sa Jeanne n'avait pas un mot plus haut que l'autre, jamais elle n'eût imaginé de lui faire aucun reproche. Si par malheur elle venait à apprendre l'existence de Mademoiselle Prune, elle pleurerait, elle s'enfermerait dans sa chambre, pour pleurer toujours, mais pas de scène, pas une scène en vingt-cinq ans, d'ailleurs ce n'était pas imaginable qu'elle l'apprît, elle serait capable de mourir de chagrin, peut-être de se tuer. Je fis remarquer que le divorce était exclu pour cette première raison que Monsieur Fouille ne s'y résoudrait jamais. Que restait-il comme solution ? Franchement, je n'en voyais aucune. J'en voyais une, mais je ne pouvais en parler à Monsieur Fouille. Sa maîtresse en aurait vite assez, de ce vieil homme encombré, de ce mari pleurnichard, Mademoiselle Prune s'enfuirait, à moins que

Monsieur Fouille ne rencontre une autre stagiaire... Cette idée me plut davantage. Je regardai Monsieur Fouille, de plus en plus gris, devant moi. Il se mangeait les doigts. Je me dis qu'il pouvait être un fabuleux amant, un grand séducteur déguisé en bon comptable. Je me levai pour mettre fin à l'entretien, il se leva, il ne cessa de chuchoter tandis que je le raccompagnais à la porte, il me dit qu'il était tout à fait malheureux, qu'il me suppliait de le sortir de là, qu'il comprenait que son cas fût insoluble, mais que ma présence, mon existence suffisaient à le rassurer. Je lui conseillai de revenir quand il le voudrait, je voulus conclure, résumer : « Je crains de ne rien pouvoir pour vous, mais n'hésitez pas à me consulter si vous en avez besoin. » Je devenais un psychiatre, ou un prêtre, cette promotion ne m'était pas désagréable, Monsieur Fouille me serra la main avec effusion, il me dit vingt fois sa gratitude, il admirait ma compétence, mon désintéressement, oui j'étais un homme de cœur. Je refermai doucement la porte d'entrée, sans doute resta-t-il un temps sans bouger, sur le palier, car je ne l'entendis pas descendre l'escalier, ni appeler l'ascenseur. J'avais eu tort de recevoir Monsieur Fouille, de recevoir qui que ce fût un dimanche. Je devenais une poire.

Monsieur Fouille revint me voir, d'abord une fois par mois, puis ses visites se multiplièrent. Au bout d'un an, je le voyais tous les jeudis et nous avions pris nos habitudes. Monsieur Fouille me tenait au courant d'une situation qui ne cessait de devenir plus insupportable. Mademoiselle Prune et lui s'aimaient d'un amour fou ; toujours ils croyaient qu'on ne pouvait s'aimer plus, et toujours ils s'aimaient davantage. Il ne pensait qu'à elle, elle ne pensait qu'à lui. Du lundi au vendredi, ils partageaient le déjeuner, dans des bistrots peu fréquentés, très éloignés de leur entreprise. A 18 h 15, chaque jour, ils se retrouvaient en un lieu convenu, ils marchaient en se tenant la main jusqu'à l'immeuble où habitait Mademoiselle Prune, ils y montaient séparément, elle d'abord, lui ensuite, accumulant les précautions pour que personne ne le vît, et ils restaient jusqu'à 20 heures, enfermés dans le petit studio. Ils ne faisaient que se regarder, s'aimer, ils avaient à peine le temps de se parler. Monsieur Fouille allait retrouver Mademoiselle Prune le samedi après-midi, et souvent le dimanche, il prétextait les nécessités du travail, les exigences de son chef de service dont le caractère devenait tyrannique. Ensemble ils étaient heureux à en mourir, mais ils devaient surveiller les heures, et les minutes, non sa Jeanne ne s'apercevait de rien. Monsieur Fouille était seulement obligé d'être plus gentil, plus attentif avec sa femme, il l'entourait davantage, peut-être même l'aimait-il plus, car elle avait le droit d'être heureuse elle aussi, et elle semblait l'être. Il lui avait suggéré un voyage de quelques jours, sur les bords du lac de Genève, leur premier voyage, elle avait accepté, elle l'avait embrassé plusieurs fois, elle paraissait émerveillée, et si reconnaissante. L'ennui est qu'elle avait mal partout, de plus en plus mal, elle se sentait devenir vieille, bien sûr ce n'était pas un problème de vieillir avec un mari qui vous aime, mais quand même ! Mademoiselle Prune aurait aimé voyager elle aussi, aller très loin, elle rêvait de connaître les îles Baléares, et la

Chine, elle savait que c'était impossible, jamais ils n'avaient passé plus de six heures sans se quitter, pas une nuit partagée. Mais ils s'aimaient en six heures comme d'autres en dix ans.

Si Monsieur Fouille me rendait visite, c'était pour parler à quelqu'un de son bonheur, de son malheur, il ne pouvait en parler qu'à moi, me disait-il, parce que le secret professionnel le tenait à l'abri. Il n'avait aucun ami, il ne faisait confiance à aucun de ses collègues. Surtout, quand il sonnait à ma porte, il avait l'illusion de tenter quelque chose pour sortir de son drame, et il se portait mieux. Je m'appliquais, car je m'étais pris pour lui de sympathie, à entretenir son illusion. J'étudiais soigneusement devant lui les solutions possibles, il n'y en avait aucune, mais c'était déjà bon de les avoir examinées. Le divorce, nous ne pouvions y penser sérieusement. Monsieur Fouille me demanda à plusieurs reprises s'il pourrait divorcer sans que Jeanne fût au courant, j'imaginai quelques astuces, aucune n'était satisfaisante, et, de toute manière, sa Jeanne finirait par apprendre qu'elle était divorcée, ce serait le pire des drames. Partir au bout du monde avec Mademoiselle Prune ? Monsieur Fouille ne le ferait jamais, il mourrait d'avoir abandonné sa Jeanne. Que restait-il ? Raisonnablement, je ne pouvais plus compter sur la fin de cette passion. A chaque rendez-vous, Monsieur Fouille me la décrivait plus folle encore. Ils s'adressaient maintenant plusieurs lettres par jour, qu'ils se remettaient le soir. Ils se couvraient de cadeaux minuscules. Restait la mort... Je me permis de demander à Monsieur Fouille si Mademoiselle Prune était prête à attendre, à attendre que le temps fît son triste travail, j'étais consterné mais je ne voyais plus que le temps comme remède, sa pauvre Jeanne se plaignait de plus en plus, du ventre et de la tête, sa santé se dégradait, me racontait Monsieur Fouille. Mon devoir d'avocat, mon expérience, la sympathie que je lui portais m'obligeaient à ne pas exclure le pire, un jour, peut-être, sa pauvre Jeanne viendrait à disparaître, je n'osais en parler, mais cette éventualité douloureuse devait être prise en compte, il arrivait, hélas, que le malheur aidât au bonheur. Cette formule me plut, je la répétai plusieurs fois sur un ton affligé.

Monsieur Fouille pleurait. Il essuyait ses yeux sur la manche de son costume gris. Pour tenter de le distraire, je lui racontai deux ou trois anecdotes, des affaires impossibles qui s'étaient arrangées d'elles-mêmes. « Il faut croire au miracle », lui dis-je en le raccompagnant. Et comme je l'avais visiblement assombri, j'ajoutai en lui serrant la main : « Quoi qu'il arrive, vous pouvez compter sur moi. » Il me sourit. Il le savait.

Je le vis encore quatre jeudis de suite. Le dernier jeudi, celui qui précédait les vacances d'été, Monsieur Fouille me parut en meilleure forme. Il avait décidé d'emmener sa Jeanne dans un petit hôtel au bord du lac de Genève, ils y passeraient ensemble quinze jours, il tâcherait de rendre ses forces à sa Jeanne, car elle maigrissait, il la dorloterait. Pendant ce temps, Mademoiselle Prune irait chez ses parents en Anjou, elle avait bien besoin de se reposer tant ils s'étaient aimés ces derniers jours, ils avaient fait des provisions d'amour. Monsieur Fouille avait tout organisé pour qu'ils pussent se parler au téléphone au moins deux fois par jour, ils s'étaient promis de s'écrire des tas de lettres, celles qu'ils mettraient à la poste, celles aussi qu'ils garderaient pour les échanger à l'instant où ils se retrouveraient. Quinze jours, c'était vite passé, et l'an prochain ils iraient aux Baléares, j'avais eu raison de dire à Monsieur Fouille qu'il fallait compter sur les miracles, Mademoiselle Prune et lui croyaient au miracle. D'un autre côté ce séjour au bord du lac donnerait à sa Jeanne tant de joie, il veillerait à ce qu'elle fût heureuse du matin au soir. Monsieur Fouille s'exaltait, il ne voyait plus les incohérences de son discours, de sa vie, il passait de Jeanne à Prune, de Prune à Jeanne, partout il promettait du bonheur, il distribuait du bonheur, du bonheur il en avait plein les mains, il voulut m'en donner un peu, il me souhaita de merveilleuses vacances, je les avais tant méritées. « Reposez-vous bien, lui dis-je. Revenez reposé... tout ira déjà mieux. » Il partit, plus gai que je ne l'avais jamais vu.

Je ne le revis pas en septembre, pas en octobre. Et je ne pensais plus à Monsieur

Fouille quand il me téléphona, le 3 novembre, à la première heure. Il avait une voix sinistre, il souhaitait me voir d'urgence, oui de toute urgence, le lendemain ce serait trop tard. Je lui proposai de passer le soir même, vers huit heures, je serais sans secrétaire, mais qu'importe, je ne pouvais rien lui refuser.

Il sonna à l'heure dite. J'ouvris. Monsieur Fouille était habillé tout en noir : le manteau était noir, l'écharpe de laine était noire, la cravate aussi était noire, le costume très foncé, il n'y avait que la moustache qui était restée grise, mais elle me parut avoir blanchi. Monsieur Fouille était amaigri, presque décharné, très voûté, transformé par l'épreuve. Il me suivit dans mon bureau sans un mot. Comment l'interroger sans qu'il pleurât ? Je redoutais, par expérience, les clients qui pleurent, je ne savais pas les consoler, les distraire. Je choisis de ne rien dire, je m'assis à mon bureau, je regardai Monsieur Fouille le plus aimablement que je pus, il s'était assis, penché vers l'avant, les bras sur les jambes, le visage entre les mains, il me dit « Maître... Maître... Maître... ma Jeanne est décédée ».

Il répéta « ma Jeanne est décédée », et il leva les yeux sur moi.

De mon mieux je lui dis ma consternation, ma sympathie, la mort me semblait toujours affreuse, vingt-cinq ans de vie commune, le partage des jours et des nuits, la mort soudain, ce n'était pas supportable, je savais comme il l'aimait, sa femme, je mesurais son chagrin, il reniflait, il essayait de retenir ses larmes, je tendis la main vers lui, par-dessus mon bureau, pour mieux exprimer ma compassion, il ne prit pas ma main, mais ce geste l'enhardit :

« Elle est morte là-bas », me dit-il.

« Là-bas ? » Je ne voyais pas ce qu'était ce là-bas.

« Là-bas... pendant les vacances... sur ce lac qu'elle aimait tant. »

Cette fois, il se mit vraiment à pleurer, les larmes coulaient sur son visage, sur ses genoux, sur mon tapis, comme des larmes d'enfant, et il ne cessa de sangloter tandis qu'il me racontait le drame. Sa Jeanne adorait se promener sur le lac, alors, pour lui plaire, il louait une barque, il ramait, il ramait tant qu'il pouvait, elle ne savait pas ramer, ni nager, mais elle était heureuse, elle comptait les cygnes, les mouettes, elle les appelait, elle leur parlait, parfois elle se levait, au risque de faire basculer la barque, pour les mieux voir, il lui disait de se rasseoir vite, il continuait de ramer, c'est peu dire qu'elle était heureuse, elle voulait recommencer tous les jours. Le 22 août au soir, le ciel était sombre sur le lac, il voulut rentrer, elle le supplia d'attendre encore, la pluie ne l'inquiétait pas, les mouettes suivaient la barque, elles tournaient autour, sa Jeanne essayait de les toucher, de les frôler, elle se levait, elle riait, les bras tendus, elle retombait assise, et voilà que le vent était venu, soudain, sans prévenir, un vent sauvage, un tourbillon, sa Jeanne s'était jetée sur lui, elle avait peur maintenant, peur du vent, peur des vagues, elle l'empêchait de ramer, il avait essayé de la calmer, de l'écarter, mais c'était trop tard, le lac, l'ouragan, ses gestes insensés, tout devenait contraire, et le bateau s'était retourné d'un seul coup, une première vague avait englouti sa Jeanne, Monsieur Fouille avait plongé, il l'avait rattrapée, tenue, la tête sous le bras, il avait lutté pour qu'elle gardât le visage hors de l'eau, le temps d'une vague, et d'une autre, d'une autre encore, elle étouffait, lui aussi, il essayait de la porter mais les vagues les recouvraient tous les deux, elles les emportaient, il s'était battu comme un fou pour la sauver, comme un fou, plus d'une heure il s'était battu contre la tempête, et sa Jeanne n'était plus qu'une masse informe, inerte, lui il nageait toujours, épuisé, sans souffle, une vague monstrueuse avait fini par arracher sa Jeanne, il avait crié, mais elle n'avait pas répondu, il avait crié, nagé dans tous les sens, il ne l'avait plus vue, il ne l'avait plus entendue, il avait étouffé, il avait déliré, il avait mis deux heures pour rejoindre le rivage. Sa Jeanne était là-bas, perdue, noyée. Il était seul, pire que mort.

Les sauveteurs avaient cherché sa Jeanne une bonne partie de la nuit, encore le lendemain, il n'y avait aucun espoir de retrouver son corps, on ne pouvait compter que sur le hasard qui le rejetterait, peut-être, sur une plage. Monsieur Fouille était resté huit jours à l'hôtel, à pleurer, à appeler sa Jeanne dans la nuit, à la chercher au bord du lac, à l'attendre, sa Jeanne partie, sa Jeanne qui l'avait abandonné, sa Jeanne qui lui parlerait si elle était près de Dieu, il n'y avait rien que le silence, le lac inerte, féroce, les mouettes qui se jetaient dans l'eau, ces mouettes qu'elle avait tant aimées, peut-être allaient-elles la revoir, sa Jeanne, lui il ne la reverrait jamais plus, c'était fini la vie. Le 30 août il avait pris le train pour Paris.

Quand il arriva au bout de son récit, les larmes s'arrêtèrent et il me regarda fixement. Je le voyais dans sa barque, avec sa Jeanne. Le lac était lisse, le soleil les réchauffait doucement. Monsieur Fouille ramassait ses forces, et voici que des deux mains il agitait la barque, d'abord doucement, puis de plus en plus fort. La barque balançait de gauche à droite, de droite à gauche. « Que fais-tu ? » lui disait sa Jeanne, étonnée. « Regarde comme c'est drôle », lui répondait-il, accélérant son mouvement. La barque soudain basculait, se retournait, Monsieur Fouille nageait comme un fou, il s'éloignait de la barque sous laquelle sa Jeanne était prise, elle criait mais il ne voulait pas entendre, il ne pouvait plus entendre, il nageait, elle étouffait, elle appelait encore au secours, mais elle était bien trop loin, il avait nagé si vite, si loin, qu'il devait s'arrêter, faire la planche, il écoutait le silence, rien que le cri des mouettes, et très loin le bruit d'un bateau à moteur, c'était fini, plus simple qu'il n'aurait cru, Monsieur Fouille n'avait plus qu'à rentrer lentement, qu'à appeler les secours, il ne voyait plus la barque, l'image de Jeanne déjà s'effaçait, il était seul, il était libre.

Monsieur Fouille me regardait toujours. Je pensai que s'il était venu me voir, c'est qu'il attendait de moi quelque chose. Il attendait de moi que je préserve son bonheur. Je savais tout, presque tout de lui, qu'il aimait Mademoiselle Prune à la folie, qu'il rêvait de refaire sa vie, et que sa Jeanne chérie rendait tout impossible. Je l'avais vu, Monsieur Fouille, au fond de son impasse. Et voilà qu'il en était sorti, par miracle. Je le voyais marcher avec Mademoiselle Prune, et rire, et courir, et nager au large des îles Baléares. Elle savait nager, Mademoiselle Prune. Bientôt ils partiraient pour la Chine. Il attendait, me dis-je, que je crusse à son récit. Alors l'inquiétude, le remords, toutes ces vilaines choses qui l'habillaient en noir, prendraient la fuite. Sa Jeanne serait tragiquement morte, emportée par une tempête, il aurait tout fait pour la sauver, c'était cela l'affreuse fatalité, et il pourrait, tranquille, heureux, éternellement fidèle, aller chaque année pleurer sur la tombe vide de sa Jeanne, et, pourquoi pas, garder, sur le buffet, une photo d'elle.

Je lui dis la part que je prenais à sa souffrance. Sa souffrance, je pouvais la mesurer mieux qu'un autre. Je savais comme il avait aimé sa Jeanne, il l'avait aimée jusqu'au bout, au point de lui sacrifier son bonheur, oui je savais, moi, qu'il avait renoncé à être heureux par amour d'elle. Je lui dis tout cela, et encore que son devoir était aujourd'hui de retrouver goût à la vie, que sa Jeanne, de là-haut, le protégerait sûrement, que nos morts, nos chers morts attendent de nous que nous vivions, le plus fort qu'il se peut, avant d'aller les rejoindre. Il parut réconforté. Quand nous fûmes près de la porte, il me dit une dernière fois « si vous saviez, Maître, comme j'ai nagé pour la sauver... Maître, j'ai nagé à en mourir ». Je lui souris, je lui répondis que je n'en doutais pas, que le miracle était qu'il eût survécu. Et je lui souhaitais, malgré tout, une vie heureuse. Il se jeta dans mes bras. Et soudain je me dis que peut-être le hasard, seul, avait fait les choses, que le métier d'avocat me rendait méfiant, plus soupçonneux qu'un juge, je le tins serré contre moi, je voulais qu'il fût assuré de son innocence, et moi de la mienne. Je n'osai lui demander des nouvelles de Mademoiselle Prune.

Son faire-part de mariage me parvint deux mois plus tard. Monsieur Gaston Fouille épouserait Mademoiselle Simone Prune dans un village d'Auvergne, celui où il était né. Le curé recevrait l'échange des consentements. Les futurs mariés conviaient quelques amis à se réjouir avec eux, après la messe. Je les priai de m'excuser. J'étais, hélas, indisponible.

L'ÂGE DE RAISON

J'approchais les quarante ans, le temps commençait de me tourmenter. Je résolus de me remettre au piano. Enfant, je l'avais appris de ma mère et d'un vieux professeur à peu près sourd, rageur, qui ne cessait de me taper sur les doigts, grommelant que j'étais doué mais nul. Je cherchais un maître qui fût doux, bienveillant, plutôt une femme. Un ami me conseilla Mademoiselle Write.

Elle était venue de Londres, m'expliqua-t-il, pour changer de climat et de vie. En Angleterre, elle avait commencé une bonne carrière de pianiste professionnelle. Elle avait accompagné plusieurs orchestres dans des tournées outre-Manche, mais le malheur s'était abattu sur elle, le violoncelliste qu'elle aimait l'avait quittée pour une médiocre chanteuse, il les avait abandonnées, elle et leur enfant, leur fille, qui n'avait pas trois ans, Mademoiselle Write avait failli en mourir, puis elle avait fait ses valises, elle avait pris le bateau pour la France, tenant la petite par la main. Elle serait professeur de piano à Paris.

Elle l'était depuis deux ans déjà. Elle habitait rue Mouffetard, un appartement minuscule, mais elle n'y recevait jamais ses élèves, elle venait à domicile. Elle écrivait par surcroît des romans, de jolis romans, m'assurait mon ami, qu'elle publierait un jour, quand sa fille serait grande. Dans le moment, Mademoiselle Write ne voulait qu'enseigner le piano, et surtout se consacrer à sa fille.

Je fis confiance à mon ami. Ce qu'il m'avait dit de Mademoiselle Write n'était pas convaincant, mais il m'en parla avec ferveur. Mademoiselle Write me parut aimable, sans doute malheureuse. Ainsi commença cette histoire.

Mademoiselle Write ressemblait à son image. Elle devait avoir une trentaine d'années. Elle était longue, sèche, plutôt bien faite. Ses cheveux sévèrement serrés, assemblés en arrière de la tête dans un lourd chignon que tenait un nœud de taffetas, et ses grosses lunettes rondes lui donnaient une allure austère, celle qui convenait à un professeur. Mademoiselle Write portait des jupes noires, agitées de longs plis, comme il se fait dans les orchestres. Je lui imaginais de jolies jambes. Quand elle jouait du piano, qu'elle soulevait le pied posé sur la pédale, j'apercevais parfois sa cheville, oui elle devait avoir de très jolies jambes, mais cela ne me regardait pas, cela ne regardait personne. Mademoiselle Write tenait ses distances. Le mieux qu'elle donnait d'elle était son sourire, un sourire figé, qui allait à la musique, un sourire qui ne proposait rien, qui n'attendait rien.

Vite je fis des progrès. Mademoiselle Write était un bon professeur, doué d'une infinie patience. Je pouvais trébucher dix fois sur la même note, jamais elle ne s'agaçait. Elle jouait souvent en même temps que moi, pour m'entraîner, me guider, de ses épaules et de sa tête elle battait la mesure, parfois elle me prenait la main, elle appuyait sur mes doigts pour qu'ils lui obéissent, elle chantait aussi pour m'encourager, n'importe quelle parole sur n'importe quelle musique, des mots anglais, des mots français. Elle ne cessait de me dire « *it's good* », puis de traduire « c'est bien », et de recommencer. Quand j'arrivais au bout d'un mouvement sans avoir cafouillé elle se levait, elle applaudissait, je me levais aussi, nous nous regardions, nous riions parfois, elle me tendait la main, j'étais joyeux, mais déjà elle était revenue à son sourire, à son masque.

Je savais que Mademoiselle Write ne vivait que pour sa fille. Celle-ci approchait les huit ans, l'âge auquel un enfant doit être entouré de tous les soins. Pour sa fille elle travaillait. Pour sa fille, m'avait expliqué mon ami, elle ne fréquentait aucun homme. Pour rester avec sa fille, elle ne sortait jamais le soir, elle ne recevait pas d'amis. Elle ne voulait pas que sa fille allât à l'école. Mademoiselle Write l'instruisait elle-même tous les matins, ce qui la contraignait à ne donner ses cours de piano que l'après-midi. La petite restait seule alors, mais elle lisait, elle réfléchissait, elle commençait même à écrire des poèmes, car elle était, disait sa mère, remarquablement douée.

Mademoiselle Write était mon professeur depuis près de quatre mois quand vint Noël. Comment lui faire plaisir sans être indiscret, lui donner un rien de bonheur sans toucher à sa vie ? Je finis par acheter pour elle une écharpe très longue, très sombre, qui lui conviendrait bien. C'était, ce jeudi-là, la dernière leçon de l'année. Je réussis trois préludes de Chopin sans une faute, Mademoiselle Write se leva, elle applaudit, alors je me saisis du paquet, caché derrière le piano, je le lui tendis fièrement, je voulus l'embrasser, elle me repoussa, je fus un peu désorienté, je lui dis « J'aurais voulu vous faire plaisir... c'est une écharpe... ». Nous étions debout côte à côte, elle tenait le paquet dans les mains, mais elle ne faisait rien pour l'ouvrir, elle me répondit « Je la remettrai, de votre part, à Judith ». Elle ajouta « Je vous remercie pour elle ». Judith, sa fille, je n'avais prévu aucun cadeau pour elle. Mademoiselle Write se dirigea vers la porte, elle saisit son manteau, j'étais sûr maintenant de l'avoir blessée. Je murmurai « Embrassez très fort

Judith pour moi ». Elle me tendit la main, jamais elle ne m'avait paru si lointaine, « bonnes fêtes », me répondit-elle, et elle s'en alla. Pour la première fois elle n'avait pas rangé les partitions, ni refermé le clavier. Je restai assis sur le tabouret, fâché contre moi, toujours j'en faisais trop, et je faisais mal, on n'offre pas un vêtement, même une écharpe, à un professeur de piano, et la veille de Noël on pense d'abord aux enfants. J'aurais dû acheter pour Judith une petite bicyclette, ou plutôt une montre, ou mieux des livres, des livres adaptés à l'âge de raison, je ne cessais de me prendre les pieds dans mes cadeaux, ce n'était pas ma faute, c'était la faute de Noël, toute ma vie j'avais détesté Noël, et Mademoiselle Write ressemblait à toutes les femmes, pour lui faire plaisir je m'étais donné de la peine, beaucoup de peine, ça ne servait à rien, jamais assez, jamais ce qu'il faudrait. « Et Judith ?... Vous avez oublié Judith ! » « Et pourquoi, Madame, devrais-je penser à Judith ? »

Nous nous revîmes en janvier, avec Debussy au programme. Était-ce l'effet des vacances ? Mademoiselle Write me parut de délicieuse humeur. Elle avait loué une voiture pour emmener Judith en Bretagne, ensemble elles avaient marché, des heures, sur la côte sauvage. Judith adorait la mer, elle avait joué avec les goélands, puis, dans les cafés, avec les machines à sous. Judith n'avait cessé de poser des questions à sa mère, sur les étoiles, sur les poissons, sur les gens qui passaient, et il convient de répondre à toutes les questions des enfants quand ils ont l'âge de raison. Judith avait pris en Bretagne une mine exemplaire, elle dormait à merveille, le seul problème était qu'elle toussait un peu. Mademoiselle Write se mit à tousser, imitant Judith, une toux brève et brutale. Je m'enhardis, je lui conseillai de montrer Judith à un médecin, je connaissais un admirable pédiatre, un grand savant, un saint par surcroît. Elle me remercia, elle me demanderait peut-être l'adresse, mais Judith n'était pas vraiment malade, simplement tous les enfants toussent à cet âge, à ce moment de la vie tout les intéresse, mais tout les trouble, tout les fragilise. Il me sembla, ce jour-là, que je pouvais m'en permettre davantage. Je demandai à Mademoiselle Write pourquoi elle n'envoyait pas Judith à l'école. Nous étions assis côte à côte, au piano, prêts à jouer, Debussy sous les yeux, j'attendais qu'elle me fît signe, comme chaque fois, de la tête. Elle me dit que l'école retardait les enfants, qu'elle voulait tout apprendre à Judith, que dans cinq mois Judith aurait huit ans et qu'elle saurait plus de choses qu'une autre n'en sait à quinze, plus de choses en lettres, en langues, en maths aussi, car Mademoiselle Write prenait des cours de maths pour enseigner sa fille. Judith saurait tout, comprendrait tout. L'âge de raison, m'expliqua Mademoiselle Write, c'est comme dans l'histoire le temps des Lumières, le moment où l'intelligence peut tout, et Judith serait heureuse, heureuse comme aucun autre enfant, car les connaissances et l'amour étaient les vrais chemins du bonheur, ceux qu'elle ouvrirait à Judith. Judith était belle, sensible, réfléchie, simplement elle toussait un peu. Mademoiselle Write parlait si bien de sa fille que j'aurais aimé l'interroger, j'aurais voulu savoir si Judith voyait encore son père, si elle dormait dans le même lit que sa mère, et quel cadeau je pourrais bien lui faire. Je demandai à Mademoiselle Write si elle me permettrait, un jour, de les inviter toutes deux à déjeuner. Elle me répondit « oui bien sûr », elle ajouta « si Judith n'est pas malade », elle me promit de me montrer les premiers poèmes que composait sa fille, presque des chefs-d'œuvre, s'exclama-t-elle. Je souris. Elle me fit signe de la tête et je commençai à jouer, m'appliquant comme un enfant.

Plus d'un an avait passé. Je pouvais maintenant jouer la plupart des morceaux de musique qu'interprétait ma mère quand j'étais gosse. J'accompagnais, sans trop de peine, les mélodies que Maman avait chantées autrefois, celles de Fauré, celles de Duparc. Mademoiselle Write remplaçait ma mère, elle chantait agréablement, avec un doux accent anglais qui ajoutait des intonations précieuses. Parfois, quand sa voix montait, Mademoiselle Write se dressait sur la pointe des pieds, elle s'élevait au-dessus du sol, il me semblait que ses seins se dressaient aussi, elle était presque belle. Plaqué le dernier accord, je profitai de l'émotion pour lui parler de Judith. Judith travaillait de mieux en mieux, Judith était heureuse, toujours Judith toussait trop, toujours elle écrivait des poèmes. Nous laissions courir nos quatre mains sur le piano, n'importe comment. Mademoiselle Write fermait les yeux, il me semble qu'elle était bien.

Je me souviens de ce jeudi où elle vint déjeuner chez moi. J'avais fait préparer les plats qu'elle m'avait dit aimer, ou que Judith aimait, une poule au pot, et un gâteau ruisselant de chocolat. La mère et la fille étaient grippées. Judith était secouée d'une forte fièvre. J'avais déconseillé à sa mère de l'amener. Mademoiselle Write, souffrante aussi, vint quand même, elle m'apporta un disque de Schubert, la fantaisie en *fa* mineur pour piano à quatre mains, un jour peut-être, me dit-elle, nous la jouerions ensemble, et, surtout, elle m'offrit une photo d'elle et de sa fille dans un cadre argenté. Mademoiselle Write tenait Judith dans ses bras, l'enfant devait avoir deux ou trois ans, elle était couverte d'un voile blanc qui montait jusque sur les épaules de sa mère, Mademoiselle Write serrait fort la petite, elle lui souriait beaucoup mieux qu'elle ne me souriait. Je fus surpris qu'elle me donnât une photo. J'y vis un signe d'amitié, presque de complicité. Notre déjeuner fut gai, jamais je ne l'avais vue si bavarde. Elle me dit que j'avais fait d'étonnants progrès, je n'aurais bientôt plus besoin d'elle. Judith jouait merveilleusement du piano, mais sa mère ne voulait pas qu'elle donnât sa vie à la musique. « C'est trop de moi », soupira-t-elle. Elle sortit de son sac un poème de Judith, qu'elle avait elle-même dactylographié, un joli poème, qui parlait de l'automne et des feuilles qu'emportait le vent. Elle m'en montra un second, qu'elle me dit plus joli encore. Je m'exclamai, et lui promis de les apprendre par cœur. Mademoiselle Write reprit trois fois du gâteau au chocolat, le reste elle le mit dans son grand sac, pour Judith quand elle serait guérie.

J'avais conseillé Mademoiselle Write à plusieurs de mes amis. Quelques-uns ne la supportèrent pas. Marc la jugea prétentieuse, aussi ridicule que son gros chignon. Il ne passa pas deux leçons. Paula, qui l'avait fait venir pour ses enfants, ne toléra qu'un seul cours. « C'est une folle, m'assura Paula au téléphone, c'est une folle et tu lui trouves toutes les qualités parce qu'elle a de longues jambes et un accent anglais. » « Méfie-toi d'elle », ajouta Paula, mais elle me conseillait toujours de me méfier des femmes, et je pressentais que ses deux fils, si laids, si lourds, n'entendaient rien à la musique. Plusieurs de mes amis convinrent qu'elle était bon professeur, ils apprécièrent sa réserve, cet obstiné sourire, signe de son courage, et, derrière ses lunettes rondes, ce regard triste qu'elle s'appliquait à cacher. Il leur plut qu'elle se dévouât tant à sa fille, lui donnant toutes ses forces et le meilleur de son temps. Judith était, pour tout un groupe, comme un modèle. « Tâche de ressembler à Judith », disait-on aux enfants. Judith grandissait, elle ne cessait de devenir plus raisonnable, et sensible, elle dansait, elle chantait, elle courait le cent mètres, elle jouait au tennis et au volley-ball, elle cousait, elle repassait, elle préparait pour sa mère d'admirables gâteaux. Elle apprenait à relier ses propres poèmes.

Mademoiselle Write me rendit la politesse, elle m'invita à déjeuner rue Mouffetard. Je savais qu'elle ne recevait jamais, et qu'elle m'offrait là un privilège d'amitié. Judith était en vacances chez une cousine près de Rouen, la seule parente de Mademoiselle Write qui vécût en France, mais la petite avait laissé une lettre à mon intention, une lettre exquise, cette enfant de huit ans m'expliquait joliment qu'elle avait beaucoup entendu parler de moi, qu'elle aimerait me connaître vite, et, s'il se pouvait, déjeuner avec moi. Mademoiselle Write aussi fut aimable, comme elle ne l'avait jamais été. L'appartement ressemblait à celui d'une poupée. Le piano droit, dans l'entrée, touchait la porte. Dans la chambre que Mademoiselle Write me montra, il n'y avait rien qu'un lit étalé sur le sol, couvert d'une soie bleue. Judith et elle y dormaient ensemble. Dans la salle à manger où nous déjeunâmes face à face, le buffet veillait sur la table. Deux chaises, deux seulement, me disaient qu'aucun invité n'était reçu d'ordinaire. Pas un tableau au mur, pas un objet posé. J'osai remarquer qu'il n'y avait nulle part aucune photo de Mademoiselle Write, ni de sa fille, ni de personne. Elle prit un ton grave. « J'aime toucher Judith, me dit-elle. Je n'aime pas rêver d'elle. » Ces mots me surprirent, ils me choquèrent presque. Mademoiselle Write me semblait faite pour rêver plutôt que pour toucher. Elle dut comprendre mon silence, elle se mit au piano, elle joua du Schubert et nous fûmes ensemble mélancoliques.

Vinrent les grandes vacances, qui devaient nous séparer. Mademoiselle Write m'annonça qu'elle emmènerait Judith visiter l'Italie. Je fis provision de bouquins sur les peintres et les palais italiens, pour la fille et la mère. Je les remis à Mademoiselle Write le jour de la dernière leçon. Elle en parut heureuse. « Judith va les dévorer », me dit-elle. J'eus l'audace de l'embrasser sur les deux joues, elle me retint un moment contre elle, du moins je le crus. Quand elle fut sur le palier, l'idée me vint que je ne la reverrais peut-être pas.

En septembre, je lui téléphonai pour m'enquérir de ses vacances et convenir du prochain cours. J'appelai plusieurs fois sans la joindre, et bientôt tous les jours. Je commençais de m'inquiéter quand je reçus une lettre de Milan. Mademoiselle Write s'excusait de ne pas m'avoir écrit plus tôt, mais Judith avait été malade, elle toussait de plus en plus, elle maigrissait, elle travaillait difficilement. De tout l'été elle n'avait pas composé un seul poème. Je répondis à mon professeur que j'étais prêt à tout pour lui témoigner mon affection, à venir, à mettre à sa disposition des amis que j'avais à Milan, à l'aider de n'importe quelle manière. Elle tarda à me répondre. Je reçus deux mois plus tard une seconde lettre, la dernière. Mademoiselle Write me priait de ne pas lui en vouloir, elle avait partagé avec moi d'agréables moments, j'étais devenu son confident, presque son ami, j'avais fait de vrais progrès au piano, et je pouvais maintenant me passer d'elle. Elle regrettait d'avoir été contrainte de s'en aller pour soigner Judith, Judith avait dépassé l'âge de raison, elle était entrée dans un temps difficile, elle avait maintenant d'étranges malaises, des nuits entières elle restait sans dormir. Mademoiselle Write avait décidé de se fixer à Milan, le climat d'Italie étant meilleur que celui de France. A Milan elle donnerait des cours de piano plus qu'à Paris, car les Italiens adoraient le piano, elle gagnerait mieux sa vie. De toute manière, elle ne vivait que pour Judith, et Judith, ici, serait suivie par les meilleurs spécialistes. Bien sûr, Mademoiselle Write regrettait les années passées, elle me regrettait, peut-être un jour nous nous retrouverions, dans le moment elle me remerciait de ne plus lui écrire, les lettres, hélas, ne servaient à rien.

A tout cela je ne compris pas grand-chose, mais je respectai ce souhait, ou cet ordre. Les premiers mois, je fus un peu malheureux. Quand je me mettais au piano, me revenait une image de Mademoiselle Write, un mouvement de ses épaules ou de ses doigts. Longtemps je l'entendis chanter une mélodie dont raffolait ma mère, étrangement leurs voix se superposaient, je les écoutais tour à tour, ou en duo. Cette photo de Judith et d'elle qu'elle m'avait donnée, j'ouvrais parfois mon tiroir pour la regarder. Je n'entendis plus parler de Mademoiselle Write. Son souvenir peu à peu s'effaça.

Plus de dix ans avaient passé quand un Anglais me demanda rendez-vous. Il se recommandait, dit-il à ma secrétaire, de sa sœur dont j'avais été l'avocat. Il rappela plusieurs fois, insistant pour me voir, précisant que sa sœur était professeur de piano, qu'elle était décédée le mois précédent, et qu'elle m'avait sans doute laissé son testament.

Je le reçus avec un peu d'impatience, prêt à lui dire, froidement, que je n'avais jamais été l'avocat de Mademoiselle Write, et qu'elle ne m'avait remis aucun papier. Quand j'ouvris la porte du salon, je restai stupéfait. Il me semblait que Mademoiselle Write était devant moi, plus vieille, plus vieux, la même allure, le même regard derrière les mêmes lunettes rondes, le même sourire absent. Monsieur Write s'excusa de parler mal le français. Je parlais très mal l'anglais, mais nous n'avions pas besoin de beaucoup de mots. Je le regardais assis en face de moi, ses longues jambes croisées, et ses rides sur le visage, les rides de Mademoiselle Write, creusées avec le temps, il était son frère, son aîné d'un an, elle était morte à Athènes, renversée par un camion, morte sur le coup, il s'excusait de me déranger, il répétait « *excuse me* », élargissant son sourire plus qu'elle ne l'avait jamais fait, elle n'avait laissé aucun bien, cinq ou six meubles, et des romans, une trentaine de manuscrits, et des paquets de poèmes, il se demandait ce qu'il devait en faire, surtout ils étaient propriétaires, sa sœur et lui, d'une petite maison dans la banlieue de Londres, il voulait savoir ce qu'elle avait décidé pour sa part de la maison, si elle la lui laissait à lui, ou à un autre, car ils ne se voyaient plus guère depuis qu'elle avait quitté l'Angleterre, ils se voyaient une fois par an à Noël, tout les avait écartés, la vie, la mer, sa chère sœur vivait dans ses rêves, dans ses livres, dans la musique, lui il était agent d'assurances, il comprendrait qu'elle eût voulu laisser la maison à n'importe qui, mais il souhaitait le savoir, le savoir vite. Il avait trouvé mon nom, mon adresse, dans l'agenda de Mademoiselle Write, on le lui avait remis à l'hôpital d'Athènes avec la petite valise qu'elle avait laissée. C'est pourquoi il venait me voir, moi son avocat.

Il m'était sympathique, Monsieur Write, il ne cessait de s'agiter, cherchant une position. Je lui expliquai, dans un français coupé de mots anglais, que je n'avais pas été l'avocat de Mademoiselle Write, qu'elle m'avait enseigné le piano, que j'avais gardé d'elle un souvenir très présent. Je ne mentais pas trop, car elle me revenait peu à peu grâce à lui, je retrouvais son visage, ses gestes, je l'entendais me parler, non, elle ne m'avait jamais remis aucun papier.

Je crus bon de prendre un ton sentencieux pour expliquer à Monsieur Write que sa sœur n'avait d'ailleurs nul besoin de faire un testament, qu'en Angleterre où se situait leur maison, en France où elle avait vécu, en Grèce où elle était morte, partout, du moins je le pensais, sa fille héritait d'elle, et que c'était sûrement sa volonté que sa fille héritât, sa fille chérie, Judith sa bien-aimée. « Elle a tant aimé Judith. »

Je m'arrêtai sur ces mots qui concluaient mon discours, laissant la place à mon émotion, et à la sienne.

J'entendis un long silence. Il me sembla que Monsieur Write voulait me dire quelque chose, qu'il cherchait ses mots, en anglais, en français. Je voulus venir à son secours :

« Et comment va Judith ?

— *Judith is a dream* », me répondit-il.

Il vit que je comprenais mal. Alors il se mit à parler, sans plus me laisser le temps d'une question, avec les doigts il semblait arracher les mots de sa bouche, il parlait de plus en plus vite, dans toutes les langues, il me dit que Judith n'était bien sûr qu'un rêve, qu'aucun homme, jamais, n'avait approché sa sœur, qu'aucun homme ne l'avait embrassée, que sa sœur n'avait eu que l'enfant de ses rêves, né de sa tête, ou plutôt de son cœur, car sa sœur avait un cœur immense, elle ne vivait que pour son enfant, elle lui sacrifiait tout, elle lui apprenait tout, à marcher, à manger, à lire et à compter, à réfléchir et à imaginer, et aussi à chanter et à rire, et surtout à écrire des poèmes, mais sa fille chérie était trop douée, son enfant chérie apprenait trop vite, surtout elle grandissait trop vite, dangereusement, le temps allait trop vite, c'est à l'âge de raison que se nouait le drame, vers sept ans, vers huit ans, la petite commençait à tousser, une maladie apparemment bénigne, mystérieuse, une maladie qui ne faisait qu'empirer d'année en année, une maladie qui empêcherait la petite d'être jamais femme, car, je devais comprendre cela, Mademoiselle Write ne pouvait imaginer que sa fille devînt une femme, qu'elle eût un corps de femme, une tête de femme, cela, c'était impossible, c'était affreux, hors de son rêve, et Mademoiselle Write faisait en sorte que son enfant restât une enfant. Alors la maladie surgissait, la maladie prenait sa fille, la maladie dévorait doucement la petite, jamais l'enfant ne serait grande, et quand l'enfant n'en pouvait plus de tousser, de dépérir, Mademoiselle Write était obligée de changer de pays. Elle s'était installée en France, puis en Italie, puis en Grèce. Dans son nouveau pays, un nouvel enfant lui venait. Pendant huit ans elle avait élevé Margaret en Angleterre, puis Judith en France pendant huit ans, puis Paola en Italie durant sept ans, puis Andromaque en Grèce durant trois ans, jusqu'à l'accident, pas un autre enfant, toujours le même, chaque fois Mademoiselle Write avait repris son impossible combat, sa fille était la plus merveilleuse, la plus prodigieuse, mais elle devait rester une enfant. Ce combat sans cesse perdu, Mademoiselle Write s'y était épuisée, elle était morte de son rêve, elle avait glissé sous le camion, et mieux valait sans doute qu'elle mourût ainsi. Monsieur Write se tut un moment. « Elle avait trop d'amour, ajouta-t-il, pour le monde où elle vivait. »

Je n'avais la force de rien répondre. Je pensais à Judith. Je la regardais, couchée sur le lit de la rue Mouffetard, mon écharpe lui servait de couverture, elle semblait se reposer, peut-être dormir, je soupçonnais qu'elle composait un poème, car ses lèvres remuaient doucement...

Je me levai pour raccompagner mon visiteur. Sèchement, je lui répétai que Mademoiselle Write ne m'avait remis aucun document. J'ajoutai que j'hésitais à croire tout ce qu'il m'avait raconté, et je lui dis, avançant la main pour le congédier :

« Je comprends d'autant moins votre histoire que par deux fois j'ai rencontré Judith. »

Aussitôt, je regrettai d'avoir menti. Mais le visage de Monsieur Write s'éclaira d'un grand sourire. Il me serra la main, me regardant curieusement, comme on regarde un poète ou un égaré.

« *Everything is possible,* me dit-il. *My sister was so imaginative* »,

et il sortit.

LULU

Lulu, je l'ai connu au café du village, en juin de je ne sais quelle année. Quand je vivais en Provence, au printemps, à l'automne, je montais chaque jour au village vers midi, pour faire mes courses et, surtout, me distraire du travail. Le meilleur moment, je le passais à la terrasse du café, guettant les rencontres, écoutant les conversations autour de moi, ou regardant au loin la ligne bleue du Lubéron. Lulu venait à peu près à la même heure. Il marchait lentement, jamais il ne pressait le pas, il se dirigeait vers sa table d'où il pouvait surveiller l'intérieur du café et la place de l'église, sa table que personne n'eût occupée à cet instant de la journée. Lulu commandait un pastis, puis un second, jamais trois, il parlait le moins possible, juste quelques mots, des mots de voisinage « comment ça va ? », « et la famille ? », tous savaient qu'il ne conversait pas, je ne l'ai jamais vu lire un journal ni se mêler à un groupe. Il semblait rêver, réfléchir, laisser filer le temps. J'essayais de faire comme lui, parfois je lui souriais, je perdais mes sourires, il ne me voyait pas, mais il me serrait la main s'il arrivait au café après moi, il me la serrait à nouveau s'il repartait avant moi. J'étais son ami, comme tout le monde, personne n'était son ami.

Pourquoi l'appelait-on Lulu ? Il se prénommait Hector. Mais on disait que, dans sa famille, le fils aîné était dit Lulu. Quelques-uns avaient connu son père, paysan comme lui, Lulu comme lui. On racontait que le grand-père était venu au village de très loin, de la banlieue de Marseille, qu'il portait beau, parlait aux femmes et que les maris méfiants l'avaient surnommé « Lulu la grimace ». D'autres prétendaient que notre Lulu était le premier et que le nom lui avait été donné quand il était gamin, à cause du Lubéron. Il allait y marcher tout seul, des jours entiers, séchant l'école, parfois il y restait la nuit, il s'installait sous un cèdre, ou bien il humait la trace des renards, celle des sangliers, il cherchait les drailles, il les suivait, deux doigts sous le nez. Le Lubéron était son royaume, et tandis qu'il vieillissait ses cheveux avaient pris la couleur de nos montagnes.

Lulu devait avoir autour de cinquante ans, un âge indéfinissable. Le regardant, assis au café, je me disais que jamais il n'avait dû être jeune, que jamais il ne serait vieux. Son visage, comme son allure, semblaient immuables, le temps passait à côté de lui. Il avait été orphelin à quinze ans, le père était tombé soudain dans sa vigne, la mère était morte de chagrin, disait-on, un an plus tard, de chagrin et de tuberculose, Lulu s'était retrouvé seul, ni frère ni sœur, rien qu'un vieil oncle à Marseille qui l'avait vaguement aidé, mais il était fait pour être seul. Et, depuis ses quinze ans, Lulu tenait seul la ferme, la ferme c'était beaucoup dire, un cabanon et quatre hectares, deux de vignes, deux de lavandins, il faisait seul sa cuisine, seul ses courses et ses corvées, il connaissait tout le monde mais il ne fréquentait personne. Chacun savait au village que Lulu n'avait pas de quoi vivre et qu'il vivait de presque rien, de pain, de pâté, de fromage, des deux pastis de midi, peut-être d'un coup de rouge le soir. Sa vieille veste kaki, on l'avait déjà vue sur son père, Lulu serait mort avant d'en avoir changé, pas question bien sûr qu'il voyageât au-delà du Lubéron. Lulu n'espérait rien. Il n'avait besoin de rien.

Les gens du pays ne l'aimaient pas tous. Il passait pour sauvage, et même bizarre. « Méfiez-vous de lui », m'avait conseillé la boulangère, un jour qu'il était entré puis sorti sans avoir acheté son pain. Je crois ne l'avoir jamais entendu, au café, adresser la parole à une femme. Quand il s'avançait sur la route, montant au village de son pas pesant, régulier, certains s'écartaient pour n'avoir pas à le croiser, à répondre à son « comment ça va ? ». Mais Lulu ne disait de mal de personne, il n'avait pas de dettes, pas d'aventures, il ne passait pas sur les terres de ses voisins, il venait à la fête du village, il s'asseyait à distance, certes il ne dansait pas, nul n'eût imaginé ce spectacle, mais il regardait les autres danser, il ne les regardait pas vraiment, il regardait la nuit. Parfois un conseiller municipal s'approchait de lui, c'était dommage que Lulu restât seul ce jour-là. Il l'entraînait dans un groupe, et la conversation tombait aussitôt. Lulu remerciait, regagnait sa place, il restait jusqu'à la fin de la fête, jusqu'à l'aube, le dernier ou presque, il n'avait pas de montre, c'est la cloche de l'église qui lui disait l'heure, mais l'heure n'avait pas d'importance, ce qui comptait pour lui c'était la lumière, les odeurs, les vents. A l'aube il repartait du même pas tranquille, il rentrait au cabanon.

Bien sûr, Lulu cultivait son lavandin, sa vigne, avec soin. Mais sa vraie vie était ailleurs. Souvent il partait avant que parût le soleil, il marchait des heures, on disait qu'il était capable de marcher dix heures sans s'arrêter, il montait dans le Lubéron, et là il vivait. J'imaginais qu'il parlait aux cèdres, qu'il les connaissait tous, qu'il leur avait donné à chacun un nom. Il les regardait grandir, s'élancer, tendre les bras, certains vieillissaient et il leur tenait compagnie, il les soignait aussi, il les aidait à mourir. Je me demandais s'il restait debout, dans une clairière, comme ses arbres, ou s'il s'asseyait pour attendre les bêtes. Les lièvres devaient venir les premiers, ils dansaient autour de lui, d'abord à distance, puis de plus en plus proches, ils n'arrêtaient pas de le dévisager, mais ils se sauvaient dès qu'approchaient les sangliers, deux ou trois sangliers qui venaient s'étaler devant lui. J'imaginais Lulu comme au café du village, il leur disait juste « bonjour », « comment ça va ? », c'était un jour de semaine, un jour sans chasseurs, sans soucis, Lulu prenait le pastis, les sangliers peut-être aussi, le temps de la sieste commençait, les perdrix se posaient, les feuilles n'osaient plus remuer, le soleil se glissait doucement, presque tendrement, sans déranger personne, Lulu fermait les yeux. J'aurais voulu savoir s'il pensait à quelqu'un, s'il regardait tous les petits soleils dans la nuit de ses yeux, ou s'il se régalait de rien, d'être là, heureux.

Être heureux, cela ne devait avoir aucun sens pour lui. Lulu était un sage qui ressemblait à sa vie, à moins que sa vie ne se fût mise à lui ressembler. Parfois je me disais qu'il était le plus chanceux des hommes, que personne ne l'encombrait, qu'il était vraiment libre, libre de ne rien faire. Parfois je m'attendrissais sur lui, je remarquais qu'il s'arrêtait, sur sa route, pour prendre la tête d'un chien entre ses mains, je l'imaginais le soir dans son cabanon, les yeux perdus, devant sa cheminée, attendant que quelqu'un, enfin, frappât à sa porte, je lui trouvais le regard en détresse. Mes amis se moquaient de moi. « Et comment va Lulu ? » me demandaient-ils quand ils me trouvaient absent. « Lulu travaille sur un roman-fleuve », me disait l'un. « Ton vieux poète... », se moquait l'autre. Mais Lulu avait du mystère, et tous ils en manquaient.

Cela aurait pu durer, durer un an ou un siècle, je ne sais, durer tant que l'église du village martèlerait le temps. Cela aurait pu durer jusqu'à ce que Lulu tombât, comme était tombé le père, couché entre deux vignes, ou étalé sur le lavandin. Cela aurait pu durer jusqu'à la fin du monde, car Lulu était taillé pour aller jusqu'au bout, les années ne le courbaient pas, il n'avait d'autre teint que celui du vent et du soleil, son cœur battait comme celui des cèdres, au rythme des saisons. On aurait pu le retrouver un jour à l'église, couché sous le grand tissu noir, ils seraient tous venus, les hommes, les femmes aussi, et tous les chiens, ensemble nous aurions été tristes, nous aurions prié pour lui, pour nous, pour le village. Lulu était comme le monument aux morts, le clocher, et les platanes de la rue de la République, ils étaient notre paysage, ils n'avaient pas le droit de s'en aller, le pastis de midi aurait perdu son goût. Lulu était bien mieux qu'un ami, une chose familière, nécessaire, il devait rester dans notre vie, à sa place, cela devait durer, durer autant que nous, mais voici ce qui arriva.

Il aimait les lapins, comme il aimait toutes les bêtes, mais plus encore que les autres. Il les aimait à cause des gîtes solitaires où ils allaient se reposer, prendre le soleil à l'abri du vent, il les aimait parce qu'ils affectionnaient, comme lui, la nuit venue, les routes chaudes, et qu'ils rêvaient sous les étoiles. Il avait connu de nombreux lapins, hébergé des lapins perdus, soigné des lapins blessés, mais ils étaient partis de sa vie sans qu'il s'en aperçût. Avec Aline, ce fut une autre affaire.

Aline, il la découvrit quand elle était encore au nid. C'était au mois de mai, à la tombée du jour, Lulu marchait entre les pins, il entendait, sans même écouter, chaque murmure des arbres et de la terre, aucun signe de vie ne pouvait lui échapper, il enfonça sa main en pleine terre, à cet endroit elle avait été remuée, et il sortit Aline, Aline qui n'avait pas dix jours, Aline et son jeune frère. Il remit le jeune frère au nid, il enveloppa Aline dans la veste du père, il la rapporta chez lui, elle était si petite, si tremblante, elle refusa le biberon, Lulu veilla toute la nuit, en vain, elle refusait toujours. A l'aube Aline était à peu près mourante.

Pour tenter de la sauver, Lulu devait trouver le petouillé, ce trou mystérieux où le papa et la maman d'Aline mêlaient leurs excréments. Au petit matin il était parti, laissant Aline sur son drap, il était retourné jusqu'au nid. De là, humant la terre en tous sens, guettant toutes les traces, il avait cherché le petouillé, et il l'avait découvert, à moins de deux cents mètres. Lulu y avait enfoui ses doigts, puis il était revenu au cabanon en courant, lui qui ne courait jamais. Aline était étendue, les petites pattes molles, quasi morte. Il lui avait fait sentir le petouillé, il avait approché le biberon de lait et d'eau mêlés, et elle avait bu le biberon, ô merveille, de furieux appétit, il avait continué à alterner le biberon et les doigts, Aline semblait ravie. Elle avait vite occupé son temps. La première semaine, il était retourné tous les jours au petouillé, deux fois, avant le lever du soleil puis à la tombée de la nuit, il lavait soigneusement ses mains avant d'y venir pour ne laisser aucune odeur qui eût risqué d'éloigner les parents, il veillait, une bonne partie de la journée et de la nuit, à garder la bonne senteur sur ses doigts, afin qu'Aline prît avidement son biberon. Le temps vint vite, pour elle, de s'en passer. Lulu eut peur, un temps, qu'elle ne voulût s'enfuir, ou qu'elle ne s'ensuque, la tête contre un mur. Mais elle semblait se plaire au cabanon, et ils partagèrent leur vie.

Le temps du petouillé était passé depuis deux mois déjà quand Lulu me raconta cette histoire. Je l'y forçai un peu. Mais

Aline était au café, tout près de lui, trottinant sur la table, mâchant des feuilles de salade qu'il emportait maintenant en tous lieux avec lui. La présence d'Aline l'obligeait à sortir de son silence. Chacun venait caresser Aline, moins sauvage de jour en jour, et interroger Lulu sur leur rencontre. Au début, il eut du mal à dire cette aventure, puis il parut y prendre plaisir, il installait Aline sur ses genoux, et tandis qu'il parlait d'elle, il approchait son nez du sien, ils s'embrassaient. Comme je n'avais jamais fréquenté de lapin, je dus lui poser des tas de questions, et il m'en dit davantage.

Je n'avais jamais vu les lapins sauvages que courir, s'enfuir, ils représentaient dans mes rêves tout ce que l'on ne peut attraper, les feuilles mortes au grand vent, et les étoiles filantes, et les mouches durant mes siestes d'enfant, mais Aline était d'une autre nature. Elle ne bougeait guère, elle semblait toujours écouter, elle aimait visiblement le plaisir, le plaisir de la table, et celui du soleil, et celui des caresses, elle aimait fréquenter les gens. Lulu veillait sur elle comme un père, comme un frère. Il déjeunait de plus en plus souvent au café du village, avec elle, d'une salade et d'un œuf dur. Il se mettait à partager ses goûts.

Au bout d'un an elle l'accompagnait partout. Elle trottinait derrière lui quand il soignait ses vignes. Il l'emmenait au village faire les courses. Tantôt il la posait sur le comptoir, tantôt il l'installait sur son épaule, tous saluaient Aline, quelques-uns l'embrassaient. Souvent ils partaient tous deux marcher dans le Lubéron. Je me demandais s'il la gardait dans ses bras ou si elle courait devant lui. L'après-midi, ils devaient partager la sieste, il se couchait, elle s'installait sur son ventre, les sangliers et les lièvres s'approchaient alors, très doucement, ils regardaient Aline et Lulu qui dormaient ou faisaient semblant, tous repartaient sur la pointe des pattes, de peur de les déranger.

Maintenant on disait « ils » quand on parlait d'eux, et l'on se serait étonné de les voir l'un sans l'autre. Que Lulu vécût avec une lapine ne faisait pas jaser. Dans notre village, les bêtes étaient aussi considérées que les gens, chacun ou presque vivait avec son chien. La mort d'un parent cher était comme celle d'un animal aimé, une fatalité douloureuse, et mieux valait vivre avec l'adorable Aline qu'avec une femme légère ou fainéante. Bien sûr, Lulu restait un peu étrange, personne ne mettait les pieds chez lui, on ne savait s'il votait à gauche ou à droite, il n'avait jamais d'opinion sur personne, rien ne semblait l'indigner, mais Aline aidait à le rendre sociable, presque aimable.

Je me souviens de ce jour où il vint frapper à ma porte. C'était en mars, il pleuvait, je m'acharnais à travailler mais tout était contraire, la cheminée fumait, la fenêtre ne me laissait qu'un paysage sinistre, la terre et le ciel mêlés pataugeaient dans la brume, je ne sais quelle anxiété tombait avec le soir, et voilà qu'on me dérangeait. Lulu était debout, tel que je l'avais toujours connu, la même veste, le même regard, jamais je n'avais pensé qu'il viendrait jusque chez moi. Il resta un moment dépaysé, n'osant entrer, il retira ses bottes, j'aurais voulu l'amener près de la cheminée, lui offrir un verre, mais il s'était adossé à la porte pour m'ennuyer le moins possible, ou pour repartir plus vite. Il me dit qu'il voulait me parler, me demander un service, parce que j'étais avocat, que je connaissais les lois, que je fréquentais le maire et le curé, il était prêt à me rémunérer pour le dérangement, il me demandait pardon, mais il savait que je m'intéressais aux autres, que j'écrivais des livres pour les autres, il me priait de m'intéresser à lui.

Il était venu sans Aline pour que je fusse plus libre de tout lui dire, mais elle approuvait sa démarche. Cela faisait plus de deux ans qu'ils vivaient ensemble, qu'il partageait avec Aline ses repas et ses nuits. Cela pouvait me paraître bizarre, mais tout n'était-il pas bizarre, que des hommes et des femmes vivent ensemble sans se caresser, sans se parler, chacun attendant la mort de l'autre, il savait que des maris et des femmes se détestaient, se méprisaient, et qu'ils prenaient la même soupe, qu'ils dormaient dans le même lit, c'était bien plus bizarre. Lui il était tombé amoureux d'une lapine, pas tombé amoureux, car le premier mois il n'avait fait que la nourrir, il l'avait aimée plus tard, peu à peu, et il avait compris qu'il ne pourrait plus se passer d'elle. Tandis qu'il parlait, les yeux baissés sur ses chaussettes, je m'appliquais à le mettre en confiance, je hochais la tête, je joignais les mains, il devait savoir que rien ne pouvait m'étonner, me choquer. Le jour, continua-t-il, il ne cessait de regarder Aline, la nuit il l'écoutait respirer, il ignorait ce qu'elle éprouvait, mais on ne sait jamais ce qu'un autre éprouve, elle l'aimait à sa façon, peut-être ils s'aimaient bien, peut-être ils s'aimaient mal, ce n'était pas le problème, le problème était qu'il voulait l'épouser. Il l'épouserait quoi qu'il arrivât, en France ou ailleurs, il savait que l'on pouvait se marier n'importe comment dans certains pays, mais c'était très cher, et très loin, c'est pourquoi il me demandait de les aider pour qu'ils deviennent mari et femme, à la mairie, à l'église, et que je leur fasse l'honneur d'être leur témoin.

J'objectai le conservatisme du droit, cette conception bornée de l'amour que portait le mariage, un homme et une femme capables de faire ensemble des petits. Il convint qu'Aline et lui n'auraient jamais d'enfants, mais il voyait des tas de couples sans enfant. Je lui expliquai qu'il faudrait changer bien des lois, les lois civiles et les lois religieuses. Il me surprit, m'objectant qu'en Hollande on mariait les hommes entre eux, et qu'ailleurs on avait permis le mariage d'un vivant et d'un mort. Il avait travaillé son affaire. Je cherchai des arguments pour justifier le droit, jamais aucune loi n'autoriserait le mariage des hommes et des animaux, non Lulu ne devait pas rêver, et l'amitié m'obligeait à lui dire la vérité, ni la République ni Dieu ne les marieraient. Je comprenais bien que c'était inique, absurde, mais la vie était faite d'absurdités. Il tenait la tête baissée, je voyais ses cheveux, pour la première fois ils me parurent avoir blanchi, Lulu vieillissait. Je crus bien faire de lui demander son âge, il parut étonné, il se mit à calculer, il avait cinquante ans, un peu plus, mais l'âge ne changeait rien à son problème, son âge non, mais celui d'Aline, j'insistai :

« Combien de temps vit un lapin ? »

Il ne me répondit pas. Sans un mot, il remit sa botte droite, puis sa botte gauche. Je voulus réparer ma sottise, l'obliger à prendre un pastis, lui faire visiter ma maison. Sèchement il dit non à tout, il ouvrit la porte, et quand il fut dehors il me lança :

« Un lapin, Monsieur, vit quatre ans, cinq ans... Et vous donc, combien de temps encore ? »

J'essayai de rire, mais il m'avait tourné le dos, il courait rejoindre Aline.

Je fis tout pour rattraper ma maladresse. Je lui adressai une lettre d'excuse, qui resta sans réponse, puis une autre pour lui annoncer que j'étudiais les lois et les coutumes, que j'avais été trop pessimiste et que, peut-être, je finirais par trouver une astuce. Quand je le rencontrai, à la terrasse du café, je le suppliai de venir un jour déjeuner avec Aline. Il finit par y consentir, et notre déjeuner à trois fut plutôt gai. Aline régnait sur la table, je me dépensais en gentillesses, je m'esclaffais au moindre mouvement d'Aline, je pressentais ses désirs, Lulu me parut content, elle aussi. Oui, nous finirions bien par les marier, il fallait simplement que tout le monde s'y mît, le maire et le curé, et le préfet s'il devenait nécessaire, et l'évêque. Lulu n'était plus comme autrefois, il avait oublié sa timidité, sa distance, l'amour lui donnait des ailes, il demandait à tous de l'aider à se marier.

Avec Aline il se rendait à la mairie, au presbytère, il visitait tous les gens influents du village, on ne parlait plus que de son prochain mariage, le conseil municipal y consacra trois séances, plus de dix fois je m'entretins avec le curé. Tous brûlaient maintenant d'assister à la cérémonie, de faire la fête. Que Lulu et Aline fussent empêchés de se marier, cela devenait un scandale, un complot politique, un abus de pouvoir, une méchanceté venue de Paris. On cherchait des accommodements, on interprétait les textes, profanes et sacrés, on imaginait des semblants, bientôt le village fixa la date, Aline et Lulu se marieraient le mardi 9 septembre, après le dur été, mais avant les vendanges, un orchestre viendrait d'Avignon et l'on danserait sur la place de l'église. Seul le médecin tirait une tête sinistre, Aline n'en avait plus pour longtemps, deux ans peut-être, mais raison de plus pour les marier vite. Nous fûmes quelques-uns à passer l'été en démarches.

Ce que fut le mariage, tout le canton s'en souvient. La mairie était pleine, pleines aussi la place et les rues autour. Aline était posée sur le bureau du maire, un morceau de voile blanc la recouvrait, accroché sous le ventre comme la selle d'un cavalier. Lulu avait loué un costume noir à Cavaillon. Nous lui avions offert cravate et pochette, il avait belle allure. Le maire avait préparé un émouvant discours, qu'il acheva en provençal. Il parla de l'amour, qui rimait avec toujours, de la liberté et de la dignité de chacun, il fit l'éloge de Lulu qui avait bravé tous les obstacles, Lulu, un digne enfant du pays, digne aussi d'être français. D'Aline il ne dit pas grand-chose, sauf qu'elle méritait d'être aimée, comme chacun et chacune, comme le plus petit, le plus modeste des êtres vivants. Il leur souhaita à tous deux un grand bonheur. Pour la première fois j'entendis le nom complet de Lulu, Hector Mabille, il acceptait de prendre Aline pour épouse, la réponse d'Aline allait de soi et la question ne lui fut pas posée. Nous étions quatre témoins, nous signâmes une feuille volante, hors registre, une feuille dont on nous avait promis qu'elle resterait dans les archives, le village donnait l'exemple, il était depuis toujours la patrie de l'audace et de l'amour. A l'église ce fut presque pareil, le curé avait accepté de dire quelques mots, il se prit d'émotion, tous les êtres vivants étaient les enfants de Dieu, et personne ne pouvait percer le mystère de la Création, le Christ était venu entre une vache et un âne, il avait aimé les brebis, aimez-vous les uns les autres, le curé le répéta plusieurs fois en français, en provençal aussi, *amas-vous, amas-vous*, aimez-vous entre hommes et femmes, entre jeunes et vieux, entre chiens et chats, aimez-vous malgré toutes les différences, et surtout respectez la vie, toute vie, même la plus infime, nous nous retenions de pleurer, jamais le curé n'avait dit de si belles choses. Après quoi il célébra la messe. Il ne pouvait faire davantage, il ne pouvait recevoir les consentements ni bénir les mariés, cela l'évêque ne l'aurait pas compris, mais le mariage était un sacrement que les époux se donnent l'un à l'autre, et Dieu était l'infinie miséricorde, Dieu seul reconnaîtrait les maris et les femmes, cela ne regardait personne, Lui seul jugerait. La messe finie, le curé salua Aline, il embrassa Lulu, et nous sortîmes tous ensemble, plus contents de Dieu que nous ne l'avions jamais été.

Dehors la fête nous attendait. Quelques-uns qui n'allaient pas à l'église avaient commencé de danser. Le buffet, alimenté par le village, regorgeait de charcuteries et de gâteaux. Lulu s'était assis, avec les témoins, le maire et le curé, à la table d'honneur. Aline, posée dessus, ne bougeait pas. Je m'inquiétais. Elle semblait déjà vieille, peut-être affolée de cette vie nouvelle, elle était agitée d'un tremblement, celui de l'âge ou de la peur. J'avais la chance d'être placé juste en face de Lulu. Son regard ne cessait d'aller de la ligne du Lubéron, sur laquelle le soleil descendait, à sa chère Aline qu'il caressait de la main gauche. Est-ce le vin rouge que nous bûmes en quantité, est-ce le spectacle des couples qui dansaient, et bien sûr Lulu ne dansa pas, est-ce le gémissement de l'accordéon, il me sembla que, lui et moi, nous nous assombrissions tandis que tombait le jour. Autour de nous les discussions montaient, sur le tracé des trains, sur toutes les lois qui empêchaient de vivre, sur la pourriture des partis politiques. Soudain Lulu me fit signe.

Il voulait me parler. Il prit Aline dans ses

bras, nous allâmes à distance, le bruit de la fête s'effaçait tandis que nous retrouvions les pins et les étoiles. Il avait repris son pas solide, régulier d'autrefois, nous marchions maintenant sur la route, le village s'éloignait de nous, ces lumières, ces musiques ne nous concernaient plus. De temps en temps, Lulu s'arrêtait pour embrasser Aline du bout des lèvres, il la tenait serrée contre son ventre comme s'il voulait qu'elle ne nous entendît pas.

Lulu me dit qu'Aline ne lui ressemblait pas, qu'elle ne pouvait rester au village, elle avait l'humeur vagabonde, elle rêvait de voyager, d'aller de gîte en gîte, de s'arrêter sur toutes les routes, sous toutes les étoiles. Il me dit qu'il allait partir, des mois et des années, il ne pouvait deviner, cela ne dépendait pas de lui. Il me priait de veiller sur sa maison, sur sa terre, sur ses intérêts, il savait maintenant qu'il pouvait me faire confiance, il me remerciait pour le mariage et pour la suite. Il avait réfléchi sur ce que je lui avais dit, sur le temps d'Aline, il s'excusait de s'être fâché ce jour-là, car j'avais raison, le temps d'Aline était compté, un an encore, deux peut-être, mais le temps n'avait pas d'importance, un an d'amour c'était bien plus que cinquante ans de peine, cinquante ans de solitude, il regardait souvent les mouches, que de vie en un seul mois, et les fourmis, elles travaillaient en un an comme d'autres en des siècles, et le papillon qui s'agitait, si joyeux, il n'avait pas deux heures à vivre, oui, peu importait le temps, Lulu partirait demain avec Aline, n'importe où, il ne serait qu'avec elle, il ne vivrait que pour elle. La seule chose qu'il demandait à Dieu, c'était de ne pas mourir avant elle, c'était cela son inquiétude, sa prière, qu'elle ne fût jamais seule, et c'est pourquoi il ne boirait plus, il ne fumerait plus, il me disait au revoir, ou adieu, on ne pouvait savoir. Il me pria d'embrasser Aline, car elle, sans doute, je ne la reverrais pas.

Il sourit tristement.

« Je reviendrai quand je serai veuf. »

Je le pris par le bras, nous retournâmes à la fête.

Le lendemain il était parti.

Table

Composition réalisée
par C.M.L., Montrouge.

Cet ouvrage a été réalisé par la
SOCIÉTÉ NOUVELLE FIRMIN-DIDOT
Mesnil-sur-l'Estrée
pour le compte des Éditions Fayard
en septembre 1991

Imprimé en France
Dépôt légal : septembre 1991
N° d'édition : 5093 - N° d'impression : 18538
ISBN : 2.213.02805.2
35.33.8576.01

35.8576.7